#하루에_조금씩
#쑥쑥_크는
#어휘력 #사고력

똑똑한
하루 어휘

**Chunjae
Makes
Chunjae**

▼

[똑똑한 하루 어휘] 6단계 A

편집개발	김한나, 박윤진
디자인총괄	김희정
표지디자인	윤순미, 안채리
내지디자인	박희춘, 이혜미
일러스트	위희경, 박종호
제작	황성진, 조규영

발행일	2021년 12월 15일 초판 2021년 12월 15일 1쇄
발행인	(주)천재교육
주소	서울시 금천구 가산로9길 54
신고번호	제2001-000018호
고객센터	1577-0902

똑 똑 한

하루
어휘

6
단계

A

5~6학년

160여 개의
어휘를 공부해요!

하루하루 공부할 어휘와 차례

어휘 공부, 무엇이 중요할까?

'차이'와 '차별'은 어떤 차이가 있을까?
'다른 것'과 '틀린 것'은 어떻게 구분할까?
'주식', '간식', '별식'의 기준은 무엇일까?

우리말을 아무런 불편 없이 사용하고 있지만 위와 같은 질문에 정확하게 대답하기는 쉽지 않아요. 입으로는 어휘를 구사하지만 어휘에 대한 정확한 감각이 숙련되어 있지 않기 때문이에요. '차별'은 '차이'를 이유로 '다르게 대하는 것'이에요. 이것을 이해하면 '차이'는 단지 '다름'을 뜻하지만 '차별'은 사람과의 관계나 대상과 대상 사이에서 일어나는 어떤 현상을 말하는 것임을 알 수 있어요.

똑똑한 하루 어휘 5·6단계 어휘 이해 과정

💡 의미 구분을 통해 어휘의 감각 키우기

'차이'와 '차별'은 어떤 차이가 있을까?

그림에서 제시하는 상황은
차이일까? 차별일까?

이어지는 해시태그를 보니
#구별 #다르게_대우 #싫어요 #남녀○○
아하! 이건 '차별'이로군!

어휘에 대한 감각, 어떻게 키워야 할까요?

어휘의 사전적인 정확한 정의는 몰라도 다른 낱말과의 관계나 사용 예를 통해서 그 뜻을 보다 정확히
이해하고 구분 짓는, 말에 대한 추리력이 어휘에 대한 감각이에요.

어휘에 대한 감각을 키우려면 그 어휘에 대해 보다 깊이 이해하고자 하는 탐구심과 호기심이 있어야 해요.
일상에서 흔히 쓰는 말이라도 다른 어휘와의 관계를 통해 그 뜻을 정확히 구분지어 보려는 의지가 있어야
어휘에 대한 감각이 자라요.

똑똑한 하루 어휘 5, 6단계는 고학년 학생들의 어휘 감각을 길러 주기 위해 유사 어휘와 속담, 관용어,
사자성어를 중심으로 구성하였어요. 어휘의 차이, 어휘의 숨은 의미에 대해 퀴즈를 풀고, 만화처럼 읽다
보면 나도 모르게 어휘에 대한 감각이 차곡차곡 쌓일 거예요.

💡 속뜻을 찾으며 어휘의 감각 키우기
'작심삼일'은 무슨 말일까?

어떤 어휘를 배우나요?

똑똑한 하루 어휘 5,6단계는 크게 네 가지 성격의 어휘를 배워요.
말의 차이를 배우면서 어휘에 대한 감각을 키워 주는 유사 어휘, 어휘의 숨은 의미를 찾아보는 속담,
의미가 확장되어 쓰이는 관용어, 한자어에 대한 이해를 도와줄 사자성어까지!
해시태그 퀴즈와 재미있는 만화가 여러분의 어휘 공부를 재미있게 도와줄 거예요!

의미 차이를 알면 어휘에 대한 감각이 늘어요!

변명 / 설명

- 말의 재미를 붙여 주는 어휘 학습
- 어휘 해시태그를 통해 어휘의 의미 짐작하기
- 자주 쓰지만 정확히 모르는 어휘 배우기

관용어를 통해 의미 확장에 대한 감각을 키워요!

제 눈에 안경

- 배운 어휘가 들어간 관용 표현 익히기
- 어휘와 관용 표현의 관계 이해하기

유사 어휘

관용어

똑똑한 하루 어휘를 함께할 친구들

꿀벌족

안데스산맥의 어딘가에 사는 특별한 종족이에요. 개구쟁이 삼 남매가 더듬이를 맞대고 재미있는 곳을 떠올렸더니 차원의 문이 열리고 봄이네 집에 떨어졌대요. 더듬이를 돌려 마법을 펼칠 수 있는 특별한 삼 남매는 봄이, 솔이와 함께 잘 지낼 수 있을까요?

마이　마야　마요

솔이　봄이

재미있는 속담을 통해 어휘 활용의 감각을 키워요!

제 논에 물 대기

속담

- 어휘가 갖는 비유, 상징 배우기
- 속담에 쓰인 고유어 알기
- 속담 활용 예를 통해 자연스러운 어휘 구사 익히기

사자성어를 통해 한자어에 대한 감각을 키워요!

청천벽력

사자성어

- 한자와 어휘의 관계 이해하기
- 비슷한 사자성어의 의미 구분하기
- 적절한 사자성어 활용하기

1주에는 무엇을 공부할까? ①

1일  국어 > 시

운율 / 심상
비유 / 상징
은유 / 직유
원관념 / 보조 관념

관용어 머릿속에 그리다 / 가슴에 새기다
사자성어 유유자적 / 오매불망

2일 생활 > 잠

선잠 / 단잠
노루잠 / 나비잠
새다 / 새우다
수면 / 숙면

속담 자는 벌집 건드린다 / 자다가 봉창 두드린다
사자성어 비몽사몽 / 동상이몽

3일 과학 > 우주

자전 / 공전
일식 / 월식
유성 / 위성
관측 / 관찰

관용어 떠오르는 별 / 별 볼 일 없다
속담 달도 차면 기운다 / 반딧불로 별을 대적하랴

4일 생활 > 빛

명암 / 음영
양달 / 응달
쬐다 / 죄다
형광 / 야광

속담 쥐구멍에도 볕 들 날 있다 / 여우볕에 콩 볶아 먹는다
관용어 빛이 보이다 / 빛을 발하다

5일 사회 > 국토

하천 / 해안
평야 / 임야
산지 / 노지
간척 / 개척

속담 개천에서 용 난다 / 제 논에 물 대기
사자성어 망망대해 / 금수강산

관용어 플러스⁺

'심금을 울리다'는
무슨 뜻일까?

은유
___
직유

*은유는 은근히, 직유는 직접 빗대어서 표현하는 것.

'은유'와 '직유'는 어떻게 다를까?

1 다음 중 은유법으로 표현한 것에 ○표 하시오.

(1)

병아리 떼같이
노란 개나리

( )

(2)

어머니의 마음은
난로이다.

( )

(3)

치타처럼 빠른
달리기 선수

( )

선잠
___
단잠

*단잠은 달게 자는 잠.

'선잠'과 '단잠'은 어떻게 자는 것일까?

2 '단잠'의 뜻을 바르게 말한 것은? ( )

① 아주 달게 깊이 자는 잠.

② 깊이 들지 못하고 자꾸 놀라 깨는 잠.

③ 깊이 들지 못하거나 만족하게 이루지 못한 잠.

1주

관찰 ─ 관측

*관측은 자연 현상을 살펴보고 어떤 사실을 알아내거나 예측하는 일.

'관찰'하는 것과 '관측'하는 것은 무엇일까?

3 민서와 주연이 중 '관측'하고 있는 사람은?

민서

주연

(   )

여우볕에 콩 볶아 먹는다

*여우볕은 비나 눈이 오는 날 잠깐 났다가 숨어 버리는 별.

왜 '여우볕에 콩 볶아 먹는다'고 했을까?

4 '여우볕에 콩 볶아 먹는다'의 뜻으로 빈칸에 들어갈 알맞은 말에 ○표 하시오.

> 행동이 매우 (느린 / 재빠른) 것을 비유적으로 이르는 말.

#시

Q. 그림과 이어지는 해시태그(#)를 보고 알맞은 어휘를 골라 □에 V표 하시오.

① 운율 □ / 심상 □

#시 #리듬감 #노래하는_느낌 #박자
#둠칫_두둠칫

② 비유 □ / 상징 □

#시 #개념을_사물로 #대표적인
#네잎클로버는_행운의_이것

③ 은유 □ / 직유 □

#시 #표현 #처럼 #같이 #듯이
#직접_빗대기

④ 원관념 □ / 보조 관념 □

#시 #표현하려는_것 #원래의_대상
#실제_사물

정답 ① 운율 ② 상징 ③ 직유 ④ 원관념

1주

①

운율

시에서 노래하는 듯한 느낌이 나는 가락.
예 이 시는 운율이 잘 드러나요.

심상

시를 읽을 때 마음속에 떠오르는 빛깔, 모양, 소리, 냄새,
맛, 촉감 등의 감각적인 모습이나 느낌.

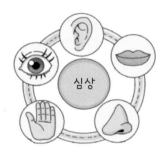

②

비유

어떤 것을 비슷한 성질이나 모양에 빗대어 나타내는 것.
예 착한 사람을 천사에 비유해서 표현할 수 있어.

상징

일정한 형태와 성질이 없어서 표현하기 힘든 개념을
구체적인 사물로 대신 나타내는 것.
예 비둘기는 평화의 상징이야.

비슷한 것에 빗대면
비유, 개념을 사물로
나타내면 상징이야.

③

은유

은근히 숨긴 채 빗대어 나타내는 것.
예 파도는 성난 사자

직유

나타내고자 하는 것을 비슷한 사물에 직접 빗대어서
표현하는 것.
예 별처럼 반짝이는 눈

Tip_
은유: '○○은 ○○(이다)'와 같
은 표현으로 나타냄.
직유: '~처럼, ~같이, ~듯이'와
같은 표현으로 나타냄.

④

원관념

비유법에서 설명하려고 하는 원래의 대상.
'사과 같은 내 얼굴'에서 '내 얼굴'에 해당함.

보조 관념

비유법에서 원관념을 설명하기 위해 가지고 온 대상.
'사과 같은 내 얼굴'에서 '사과'에 해당함.

내 마음은 고요한 호수
　원관념　　　보조 관념

#시 #관용어

Q. 그림과 이어지는 해시태그(#)를 보고 알맞은 관용어를 골라 ☐에 V표 하시오.

머릿속에 그리다 ☐ / 가슴에 새기다 ☐

#시 #상상 #생각 #떠올리다 #떠오르는_장면 #이미지 #그림처럼

머릿속에 그리다	가슴에 새기다
떠올려서 그림을 그리듯이 마음속으로 생각한다는 뜻.	어떤 것을 잊지 않게 단단히 마음에 기억한다는 뜻.

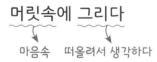

머릿속에 그리다

마음속   떠올려서 생각하다

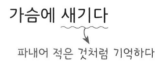

가슴에 새기다

파내어 적은 것처럼 기억하다

시의 내용이
머릿속에
그려지네.

새긴 것은 쉽게
지워지지 않는 것처럼
잊지 않게 기억한다는
뜻이야.

정답 머릿속에 그리다

Q. 그림과 이어지는 해시태그(#)를 보고 알맞은 사자성어를 골라 ☐에 V표 하시오.

🐰 유유자적 ☐ / 오매불망 ☐

너 자꾸 그렇게 놀기만 하면 큰일나!

나는 돈이나 명예보다 이렇게 노래하고 즐기면서 사는 게 더 행복해.

♡ ◯ ◁

#시 #대표적_주제 #시를_즐기는_여유 #한가로움 #자유로움 #걱정도_없음

유유자적	오매불망
옛사람들이 우리나라 고유의 시에서 자주 노래한 삶의 자세로, 욕심과 다툼으로 가득한 현실의 세상을 떠나 아무 속박 없이 조용하고 편안하게 사는 삶을 뜻함.	'자나 깨나 잊지 못하다'라는 뜻으로, 사랑하는 사람을 그리워하여 잠 못 드는 것을 비유하는 말.

悠 悠 自 適
멀 유　멀 유　스스로 자　맞을 적

현실에서 멀리 떠나 → 자유롭게 살아가는 모습

할머니, 할아버지는 유유자적한 시골 생활을 즐기신다.

寤 寐 不 忘
잠 깰 오　잘 매　아닐 불　잊을 망

언제든지 항상 → 잊지 못하고 생각함

북한에 두고 온 가족이 오매불망 그립구나.

정답 유유자적

1 다음 빈칸에 공통으로 들어갈 말로 알맞은 것에 ◯표 하시오.

눈에 보이지 않아서 표현하기 힘든 것을 구체적인 것으로 표현하는 방법을 [   ](이)라고 합니다. 예를 들어, '평화'라는 개념을 나타내기 위해서 구체적인 '비둘기'를 내세우는 것이 [   ]입니다.

(비유 / 상징)

2 다음 글에 쓰인 표현 방법은 무엇인지 선으로 이으시오.

(1) 내 마음은 호수요. •

(2) 별처럼 반짝이는 눈망울 •

(3) 쟁반같이 둥근 달 •

• ① 은유

• ② 직유

3 다음 표현에서 원관념과 보조 관념을 구별하여 기호를 쓰시오.

- ㉠솜사탕 같은 ㉡구름
- ㉢어린이는 ㉣나라의 빛이다.
- ㉤울부짖는 사자처럼 코를 고시는 ㉥우리 아빠

원관념	보조 관념
(1)	(2)

[4~6] 다음 글을 읽고 물음에 답하시오.

(가) 방학이 되어 시골 할머니 댁에 놀러 갔다. 엄마와 아빠는 회사 때문에 집으로 돌아가시고 나는 남기로 했다. 처음에는 뭘 하면서 시간을 보내야 할지 몰라서 얼떨떨했다. 학원에 안 가고 숙제를 안 하는 건 좋지만, 여기는 게임기도 없고 인터넷도 안 되잖아? 그러다 옛날에 삼촌이 쓰시던 방에 들어가 책꽂이에 있던 책을 읽기 시작했는데 너무 재미있어서 시간 가는 줄을 몰랐다. 어떤 날은 친구들 생각이 나서 편지도 써 보았다. 이메일을 보낼 수 없어 손으로 편지를 썼는데 기분이 왠지 새로웠다. 마당 한쪽에서 자라고 있는 방울토마토가 매일 조금씩 자라는 걸 보는 것도 참 기분이 좋은 일이다. 부모님의 마음이 이럴까? 그리고 시골은 밤하늘이 아주 까만데 반짝거리는 별을 보는 것도 도시에서는 하지 못했던 경험이다. 도시에서 바쁘게 지낼 때 머리가 가득 찬 느낌이라면 시골의 생활은 마음이 가득 차는 느낌이다. 이 여유로움이 끝나지 않기를, 방학이 끝나지 않기를 오늘 밤 반짝이는 별을 보며 빌어 본다.

(나) 학원 없는 시골에서
　　책도 읽어 보고

　　인터넷 없는 시골에서
　　편지도 써 보고

　　숙제 없는 시골에서
　　텃밭도 가꾸어 보고

게임기 없는 시골에서
하늘의 별도 세어 본다.

없는 것 투성이인 시골에서
내 마음은 가득 채워진다.

4 글 (가)와 (나)를 읽고 (　　　) 안에 들어갈 알맞은 말에 ○표 하시오.

　• 글 (가)와 비교하여 글 (나)는 글자 수가 일정하게 반복되어 (심상 / 운율)이 느껴진다.

5 글 (가), (나)의 내용과 관련 있는 사자성어는 무엇입니까? ····································· (　　　)

　① 유유자적　　　② 오매불망　　　③ 동고동락
　④ 대기만성　　　⑤ 사면초가

6 다음 빈칸에 들어갈 알맞은 표현은 무엇입니까?

　　이 시를 읽으니 밤에 하늘을 올려다 보고 있는 아이의 모습이 [　　　]

　(1) 가슴에 새겨져. (　　　)　　　(2) 머릿속에 그려져. (　　　)

#잠

Q. 그림과 이어지는 해시태그(#)를 보고 알맞은 어휘를 골라 □에 V표 하시오.

① 선잠 □ / 단잠 □

○○을 자기에 딱 좋겠어!

너 정말 재주가 많구나!

#잠 #꿀잠 #쿨쿨 #숙면 #달콤한_잠
#깨우지_마세요

② 노루잠 □ / 나비잠 □

와! 자는 모습이 꼭 아기가 ○○○을 자는 것 같아!

#잠 #자는_모습 #닮은꼴_찾기
#두_팔_벌려 #날개_모양

③ 새다 □ / 새우다 □

뭐야, 벌써 날이 □ 거야? 얘네 잠버릇 때문에 한숨도 못 잤어.

#잠 #날이_밝음 #뜬눈 #꼬박
#불면증_주의

④ 수면 □ / 숙면 □

너네 때문에 선잠만 잤잖아!

코까지 골면서 ○○을 하던데?

#잠 #깊은_잠 #푹_잠 #단잠
#업어_가도_몰라요

정답 ① 단잠 ② 나비잠 ③ 새다 ④ 숙면

1주

①

선잠

단잠

깊이 들지 못하거나 만족하게 이루지 못한 잠. 유의어 겉잠

예 시험 때문에 긴장을 해서 어젯밤에는 선 잠 만 잤다.

아주 달게 깊이 자는 잠. 유의어 숙면

예 아빠는 코를 골며 단 잠 이 들었어요.

선- : 충분치 않은
선 잠 충분하지 않은 잠.
잠
달다: 흡족하여 기분이 좋다.
단 잠 흡족하게 잔 잠.

②

노루잠

나비잠

노루가 작은 소리만 나도 잠에서 깨는 것처럼 깊이 들지 못하고 자꾸 놀라 깨는 잠.

예 어제는 노 루 잠 을 자서 몸이 개운하지 않아.

갓난아이가 두 팔을 머리 위로 나비처럼 벌리고 자는 잠.

예 동생이 나 비 잠 을 자는 모습이 정말 사랑스러워.

▲ 노루잠

▲ 나비잠

③

새다

새우다

날이 밝아 온다는 뜻. 목적어 없이 '날이 새다', '밤이 새다'와 같이 쓰임.

예 순식간에 날이 샜 다.

잠을 자지 않고 지냈다는 뜻으로 '밤을 새우다'와 같이 쓰임.

예 뜬눈으로 밤을 새 웠 다.

날이 새다

밤을 새우다

④

수면

숙면

잠을 자는 일.

예 삼촌은 수 면 부족으로 눈이 빨갛게 충혈되었다.

잠이 깊이 듦.

예 약을 먹고 숙 면 을 했더니 감기가 금방 나았어.

수면

숙면

수면에 숙면이 포함돼.

#잠 #속담

Q. 그림과 이어지는 해시태그(#)를 보고 알맞은 속담을 골라 □에 V표 하시오.

자는 벌집 건드린다 □ / 자다가 봉창 두드린다 □

지니야. 그냥 생각난 건데 사자랑 호랑이랑 싸우면 누가 이길까?

깜짝이야! 뜬금없이 무슨 소리야?

#잠 #뜻밖의_일 #뜬금없이 #딴소리 #엉뚱한_말 #갑자기_왜_그래

자는 벌집 건드린다

그대로 가만히 두었으면 아무 탈이 없을 것을 아무 까닭 없이 건드려 문제를 일으킴을 비유적으로 이르는 말.

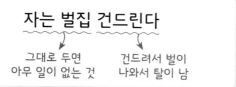

자는 벌집 건드린다

그대로 두면 아무 일이 없는 것

건드려서 벌이 나와서 탈이 남

비슷한 뜻의 속담

자는 범 코침 주기

잠자는 호랑이의 콧구멍을 찌른다는 말로, 그대로 내버려두면 아무 일 없을 것을 괜히 건드려서 문제를 일으킨다는 뜻.

자다가 봉창 두드린다

한참 단잠을 자는 새벽에 남의 집 봉창을 두들겨 놀라 깨게 한다는 뜻으로, 뜻밖의 일이나 말을 갑자기 불쑥 내미는 행동을 비유적으로 이르는 말.

자다가 봉창 두드린다

뜻밖의 일을 함

자다가 봉창을 두드리다니. 예상하지 못한 일이네.

봉창: 창문을 여닫지 못하도록 막은 창문. 햇빛이 들어오게 하려고 만듦.

정답 자다가 봉창 두드린다

1
주

Q. 그림과 이어지는 해시태그(#)를 보고 알맞은 사자성어를 골라 □에 V표 하시오.

🐰 비몽사몽 □ / 동상이몽 □

#잠 #잠이_덜_깸 #꿈인지_현실인지 #몽롱함 #잠든_것도_깬_것도_아님

비몽사몽

완전히 잠이 들지도 잠에서 깨어나지도 않은 어렴풋한 상태.

동상이몽

같은 자리에 자면서 다른 꿈을 꾼다는 뜻으로, 겉으로는 같이 행동하면서도 속으로는 각각 딴 생각을 하고 있음을 이르는 말.

非	夢	似	夢
아닐 비	꿈 몽	닮을 사	꿈 몽
꿈이 아닌데		꿈 같은 상태	

아직도 잠이 덜 깨서 비몽사몽이네.

同	床	異	夢
한가지 동	평상 상	다를 이	꿈 몽
같은 자리에 자면서		다른 꿈을 꾼다	

용돈 받은 걸로 동상이몽이네.

정답 비몽사몽

1 다음 중 나머지 낱말과 뜻이 <u>다른</u> 낱말에 ×표 하시오.

(1) 선잠 (　　　　) 　　　　(2) 숙면 (　　　　)

(3) 겉잠 (　　　　) 　　　　(4) 노루잠 (　　　　)

2 다음 낱말은 어떻게 자는 모습을 가리키는 것인지 선으로 이으시오.

(1) 노루잠 ・　　　　　　　・① 두 팔을 머리 위로 벌리고 자는 잠.

(2) 나비잠 ・　　　　　　　・② 깊이 들지 못하고 자꾸 놀라 깨는 잠.

3 다음 중 밑줄 그은 말이 바르게 쓰이지 <u>않은</u> 문장은 어느 것입니까? ······ (　　　　)

① 진우는 몇 밤을 뜬눈으로 <u>새웠다</u>.

② 나는 어제 책을 읽느라고 밤을 <u>샜다</u>.

③ 어느덧 날이 <u>새는지</u> 창밖이 밝아 왔다.

④ 우리는 그날 밤이 <u>새도록</u> 이야기를 나누었다.

⑤ 슬비는 어제도 밤을 <u>새웠는지</u> 책상에 앉아 졸고 있다.

4 다음 자음자를 보고 빈칸에 들어갈 낱말을 쓰시오.

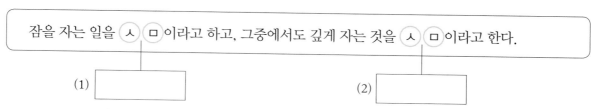

잠을 자는 일을 ㅅ ㅁ이라고 하고, 그중에서도 깊게 자는 것을 ㅅ ㅁ이라고 한다.

(1) [　　　　]　　　　　　　(2) [　　　　]

5 다음 글을 읽고 떠올릴 수 있는 사자성어는 무엇입니까? ·· ( )

> 오랫동안 빈 채로 방치되어 오던 넓은 공터를 개발한다는 소식에 근처 지역 주민들은 모두 환영하는 분위기입니다. 하루 빨리 공터가 개발되기를 바라는 마음은 모두 같지만 공터에 무엇이 들어서면 좋을지 그 개발 방안을 놓고 주민들로부터 여러 가지 주장이 쏟아져 나오고 있는 상황입니다.
>
> 일부 주민들은 공터에 주민들의 실생활과 밀접한 대형 마트가 들어서야 한다는 주장을 내세우고 있습니다.
>
> "이 지역에는 아파트가 많아서 거주하는 사람이 많은 데에 비해서 시장과 대형 마트가 너무 멀기 때문에 대형 마트가 들어서면 좋겠습니다."
>
> 공원을 만들어야 한다는 주민들의 주장도 있습니다.
>
> "공원이 들어서면 공기도 맑아질 것이고, 운동하기에도 좋을 것 같습니다. 공터에 공원과 운동 시설이 들어선다면 주민들이 건강하고 쾌적한 생활을 하는 데에 많은 도움이 될 것 같습니다."
>
> 일부 주민들은 공공 도서관을 만들어야 한다고 주장하고 있습니다.
>
> "이 지역에는 학생들이 많은데 공공 도서관이 생기면 집 근처에서 공부도 하고 책도 읽을 수 있어서 좋을 것 같습니다."
>
> 주민들은 공터 개발에 대부분 찬성하였지만 개발 방안에 대해서는 각자 다른 의견을 주장하고 있습니다.
>
> 시에서는 시간을 들여서라도 주민들의 여러 가지 의견을 듣고 가장 좋은 방법을 찾겠다는 의견입니다.

① 백발백중   ② 비몽사몽   ③ 동상이몽
④ 결초보은   ⑤ 두문불출

6 다음 빈칸에 들어갈 속담으로 알맞은 것에 ○표 하시오.

> 숙제를 끝내고 방에 들어오니 동생이 잠을 자고 있었다. 갑자기 낮에 놀이터에서 가져온 강아지풀이 생각났다. 살금살금 강아지풀을 가져와 잠자는 동생의 콧구멍을 간질였다. 동생이 얼굴을 찌푸리는 게 너무 재미있었다. 그러다 동생이 갑자기 팔을 휘둘렀고, 나는 동생의 팔에 머리를 맞아서 "아야!" 하고 소리를 질렀다. 깜짝 놀라 달려오신 엄마께서 나를 보시고는 웃으며 "그렇게 왜 ☐☐☐☐☐ 그러니?" 하고 말씀하셨다.

(1) 자는 벌집 건드리고 ( )

(2) 자다가 봉창 두드리고 ( )

#우주

Q. 그림과 이어지는 해시태그(#)를 보고 알맞은 어휘를 골라 □에 V표 하시오.

① 자전 □ / 공전 □

#우주 #지구 #천체 #스스로 #회전
#어지러움_주의

② 일식 □ / 월식 □

#우주 #해 #해가_가려짐 #달이_가림
#낮인데_어두움

③ 유성 □ / 위성 □

#우주 #별똥별 #떨어짐 #부스러기
#소원을_말해_봐

④ 관측 □ / 관찰 □

#우주 #상태 #움직임 #살펴봄 #지켜봄
#그저_바라볼_뿐

정답 ① 자전 ② 일식 ③ 유성 ④ 관찰

①

자전

어떤 것이 스스로 도는 것. 지구가 하루에 한 바퀴씩 서쪽에서 동쪽으로 도는 것을 '지구의 자전'이라고 함.

예 지구의 자전 으로 낮과 밤이 생깁니다.

공전

별, 행성, 인공위성 등의 한 천체가 다른 천체 주위를 일정한 길을 따라 도는 것.

예 태양계 행성들은 태양을 중심으로 공전 합니다.

내가 혼자 도는 것은 자전!

내가 태양 주위를 도는 것은 공전!

---

②

일식

달이 태양을 가려서 낮에도 어두워지는 현상.

태양이 달에 의해 완전히 가려지는 '개기 일식', 부분적으로 가려지는 '부분 일식' 등이 있음.

월식

달이 지구의 그림자에 가려지는 현상.

달이 지구의 그림자에 완전히 가려지는 '개기 월식', 일부분만 가려지는 '부분 월식'이 있음.

▲ 일식

와, 해가 달에 가렸네.

---

③

유성

혜성에서 떨어져 나온 부스러기 등이 지구가 끌어당기는 힘에 의해 대기권으로 들어와 타면서 빛을 내는 것. 별똥별.

예 유성 이 밤하늘을 가르며 지나갔습니다.

위성

행성의 주위를 돌고 있는 천체. 지구의 위성은 달임.

예 달은 지구의 주위를 도는 위성 입니다.

流
흐를 유

星
별 성

衛
지킬 위

유 성
흐르는 별.

위 성
별 주위를 도는 것.

---

④

관측

눈이나 기계로 자연 현상을 관찰하여 어떤 사실을 알아내거나 예측하는 일.

예 천문대에서 별의 움직임을 관측 했다.

관찰

사물의 움직임이나 상태를 주의 깊게 살펴봄.

예 토마토가 자라는 것을 관찰 하고 기록해 두었다.

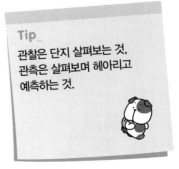

Tip_
관찰은 단지 살펴보는 것, 관측은 살펴보며 헤아리고 예측하는 것.

#우주 #관용어

Q. 그림과 이어지는 해시태그(#)를 보고 알맞은 관용어를 골라 ☐에 V표 하시오.

🐰 떠오르는 별 ☐ / 별 볼 일 없다 ☐

#우주 #별 #뛰어난_사람 #등장 #스타_탄생 #지켜봐_주세요

떠오르는 별

어떤 분야에 새로이 등장하여 뛰어난 재능을 나타내는 사람을 비유적으로 이르는 말.

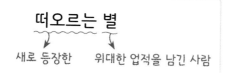

떠오르는 별

새로 등장한   위대한 업적을 남긴 사람

별 볼 일 없다

대단하지 않고 하찮다.

별 볼 일 없다

특별한 것

나는 달리기계의 떠오르는 별! 내가 1등할 거야!

큰소리치더니 별 볼 일 없네. 내가 이겼다!

정답 떠오르는 별

1주

Q. 그림과 이어지는 해시태그(#)를 보고 알맞은 속담을 골라 □에 V표 하시오.

🐰 달도 차면 기운다 □ / 반딧불로 별을 대적하랴 □

♡ ○ ⏤

#우주 #달 #모양_변화 #이럴_때도_있고 #저럴_때도_있고 #영원한_건_없어

달도 차면 기운다

세상의 모든 것이 한 번 잘되면 다시 잘 안될 수도 있다는 말.

달도 차면 기운다
잘될 때가 있으면   안될 때도 있다

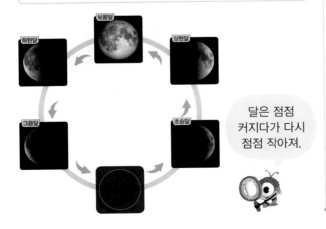

달은 점점 커지다가 다시 점점 작아져.

반딧불로 별을 대적하랴

반딧불을 별에 감히 견줄 수 없다는 뜻으로, 되지도 아니할 일은 아무리 억지를 부려도 이루어지지 못함을 비유적으로 이르는 말.

반딧불로 별을 대적하랴
작고 보잘것   크고 대단한   비교할 수
없는 것,   것, 강한 것   없다
약한 것

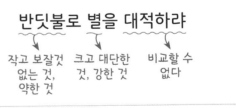

반딧불이 아무리 밝아도 별보다 밝을 수는 없지!

정답 달도 차면 기운다

1 다음은 지구의 운동 중 무엇과 관련된 내용인지 빈칸에 '자전'과 '공전' 중 알맞은 말을 쓰시오.

(1) 지구가 스스로 도는 것을 ☐☐ 이라고 한다.

(2) 지구가 하루에 한 바퀴씩 서쪽에서 동쪽으로 도는 것을 ☐☐ 이라고 한다.

(3) 지구가 일 년에 한 바퀴씩 태양 주위를 회전하는 것을 지구의 ☐☐ 이라고 한다.

2 달이 태양을 가려서 낮에도 어두워지는 현상을 무엇이라고 합니까?·······························(   )

① 위성   ② 유성   ③ 천체

④ 일식   ⑤ 월식

3 오른쪽 그림은 무엇을 나타낸 그림인지 알맞은 것에 ○표 하시오.

(위성 / 유성)

4 다음은 '관측'의 뜻입니다. 첫 자음자와 뜻을 살펴보고 ❶과 ❷에 들어갈 알맞은 낱말을 쓰시오.

관측   눈이나 기계로 자연 현상을 ❶ⓖⓗ하여 어떤 사실을 알아내거나 ❷ⓞⓒ하는 일.

❶ⓖⓗ: 사물의 움직임이나 상태를 주의 깊게 살펴봄.
예 양파가 자라는 과정을 ⓖⓗ하였다.

❷ⓞⓒ: 미리 헤아려 짐작함.
예 경기에서 우리 팀이 이길 것이라고 ⓞⓒ했다.

5 다음 빈칸에 들어갈 표현으로 알맞은 것에 ◯표 하시오.

1주

김은서, 초등부 여자 축구의 '   '

천재초등학교의 김은서 선수가 초등부 여자 축구의 새로운 희망으로 떠오르며 기대를 한 몸에 받고 있다.

작년까지 전국 5위에 머물던 천재초등학교 여자 축구팀이 김은서 선수의 활약으로 결승에 진출하였다. 김은서 선수는 지난해 축구를 시작한 신입 선수로 올해 매 경기 좋은 경기력을 보여 주며 팀을 승리로 이끌고 있다. 그 결과 7월 한 달 동안 매 경기 골을 넣으며 실력을 자랑하고 있다.

김은서 선수는 지난 주말 치러진 초등부 여자 축구 준결승에서 작년 우승팀인 해법초등학교를 만나 2:2로 팽팽하던 상황에서 결승골을 넣으면서 팀을 승리로 이끌었다. 김은서 선수는 이 경기 직후 "저 개인의 기록을 세우는 것보다는 팀이 우승하는 것을 목표로 하겠습니다."라고 소감을 밝혔다.

천재초등학교가 김은서 선수의 활약으로 올해 초등부 여자 축구 우승을 거머쥘 수 있을지 지켜볼 만하다.

김용석 기자

(1) 떠오르는 별 (   )　　　　　　(2) 별 볼 일 없는 일 (   )

6 '달도 차면 기운다'라는 속담을 쓸 수 있는 상황으로 알맞은 것은 어느 것입니까? ·················· (   )

① 아주 게으른 친구를 보았을 때
② 꼴찌를 하던 친구가 1등을 했을 때
③ 여러 가지에 관심이 많은 친구를 보았을 때
④ 늘 1등만 하던 친구가 1등을 하지 못했을 때
⑤ 1등을 하기 위해 열심히 노력하는 친구를 보았을 때

7 '반딧불로 별을 대적하랴'의 뜻으로 알맞은 것에 ◯표 하시오.

(1) 어려운 일도 노력하면 해낼 수 있다. (   )
(2) 되지 않을 일은 아무리 억지를 부려도 이루어지지 못한다. (   )

#빛

Q. 그림과 이어지는 해시태그(#)를 보고 알맞은 어휘를 골라 □에 V표 하시오.

① 명암 □ / 음영 □

#빛 #어두운_부분 #그늘 #그림자
#빛이_가리는_부분

② 양달 □ / 응달 □

#빛 #양지 #해가_쨍쨍 #밝은_곳
#눈부심_주의

③ 쬐다 □ / 죄다 □

#빛 #볕 # 쪼이다 #비치다 #밝음
#따뜻함

④ 형광 □ / 야광 □

#빛 #밤 #어두울_때
#빛을_흡수했다_어두울_때_빛남

정답 ① 음영 ② 양달 ③ 쬐다 ④ 야광

1

명암

밝음과 어두움을 통틀어 이르는 말.

예 이 사진은 명암이 뚜렷해.

음영

어두운 부분.

예 큰 나무 아래로 음영이 드리워졌다.

明 暗 　 밝음과 어두움.

밝을 명 어두울 암

陰 影 　 그늘진 어두운 부분.

그늘 음 그림자 영

1주

2

양달

볕이 바로 드는 곳. 유의어 양지

예 빨래를 양달에 널어놓으니 잘 마른다.

응달

볕이 잘 들지 아니하는 그늘진 곳. 유의어 음지

예 놀이터에서 놀다가 더워서 응달에서 땀을 식혔다.

→ 양달

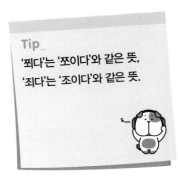

→ 응달

3

쬐다

볕이 들어 비치다. / 볕이나 불기운 따위를 몸에 받다.

예 우리 집은 햇볕이 잘 쬐는 남향이다.

　 모닥불을 쬐다.

죄다

느슨하거나 헐거운 것을 단단하거나 팽팽하게 하다.

예 헐거워진 나사를 바짝 죄다.

Tip_

'쬐다'는 '쪼이다'와 같은 뜻,

'죄다'는 '조이다'와 같은 뜻.

4

형광

반딧불이의 꽁무니에서 나오는 밝은 빛. / 특정한 물체에서 나는 형형색색의 빛.

예 중요한 부분에 형광펜을 칠했어요.

야광

어둠 속에서 빛을 냄. 또는 그런 물건.

예 벽에 야광 스티커를 붙였습니다.

▲ 형광등

▲ 야광 스티커

#빛 #속담

Q. 그림과 이어지는 해시태그(#)를 보고 알맞은 속담을 골라 ☐에 V표 하시오.

쥐구멍에도 볕 들 날 있다 ☐ / 여우볕에 콩 볶아 먹는다 ☐

네 노래 주머니와 내 도깨비 방망이를 바꾸자.

얼씨구~

당실

당실

아이고, 평생 고생만 하고 살 줄 알았더니 이런 날도 있구려! 얼씨구나 좋다!

#빛 #희망 #좋은_날 #살다_보면 #지금은_힘들어도_꿋꿋하게 #긍정적

쥐구멍에도 볕 들 날 있다

지금 당장은 힘들어도 언젠가는 좋은 날이 있을 것이라는 뜻.

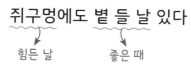

쥐구멍에도 볕 들 날 있다

힘든 날   좋은 때

비슷한 뜻의 한자성어

苦 盡 甘 來

쓸 고 다할 진 달 감 올 래

고진감래

쓴 것이 다하면 단 것이 온다는 뜻으로, 고생 끝에 즐거움이 온다는 말.

여우볕에 콩 볶아 먹는다

행동이 매우 재빠르고 날쌘 것을 비유적으로 이르는 말.

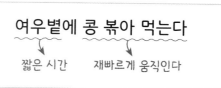

여우볕에 콩 볶아 먹는다

짧은 시간   재빠르게 움직인다

여우볕은 비나 눈이 오는 날 잠깐 났다가 숨어 버리는 볕이야.

정답 쥐구멍에도 볕 들 날 있다

Q. 그림과 이어지는 해시태그(#)를 보고 알맞은 관용어를 골라 □에 V표 하시오.

빛이 보이다 □ / 빛을 발하다 □

#빛 #값어치 #능력 #빛나다 #인정받음 #실력이_알려지다 #반짝반짝

빛이 보이다	빛을 발하다
(사건이나 문제가) 해결할 방법이나 실마리가 생기다.	제 능력이나 값어치를 드러내다.

빛이 보이다
→ 해결 방법

빛을 발하다
→ 능력이나 값어치 → 드러내다

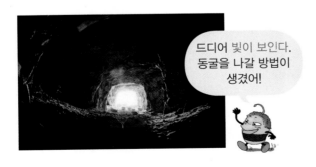

드디어 빛이 보인다. 동굴을 나갈 방법이 생겼어!

노래 실력이 빛을 발하는구나!

정답 빛을 발하다

1 다음 중 '명암'의 뜻으로 가장 알맞은 것은 어느 것입니까? ·················· (   )

① 밝기의 정도.　　　　　　　　　② 어두운 정도.

③ 밝음과 어두움.　　　　　　　　④ 멀고 가까움.

⑤ 빠르고 느린 정도.

2 다음 사진의 빈칸에 '양달'과 '응달' 중 알맞은 것을 써넣으시오.

3 다음 빈칸에 공통으로 들어갈 말은 어느 것입니까? ··························· (   )

> • 난롯불에 언 손을 (   ) 몸을 녹였다.
> • 해수욕장에서 햇볕을 너무 많이 (   ) 피부에 화상을 입었다.

① 쬐어　　　　　　　② 쬐어　　　　　　　③ 조여

④ 쪼아　　　　　　　⑤ 재어

4 다음은 무엇에 대한 설명인지 알맞은 것에 ◯표 하시오.

> • 어둠 속에서 빛을 내는 상태나 그런 물건을 뜻한다.
> • 빛이 있을 때는 빛을 흡수하고 빛이 없을 때 모아 놓은 빛을 밖으로 내보내는 것이다.

(형광 / 야광)

[5~6] 다음 글을 읽고 물음에 답하시오.

내가 좋아하는 가수 이야기를 해 줄게. 이 가수는 오래 전에 데뷔를 했어. 그런데 별로 인기가 없었지. 노래를 몇 곡이나 발표했지만 전부 다 인기가 없었어. 텔레비전 프로그램에 나가고 싶었지만 인기가 없으니 나갈 방법이 없었어.

그래도 가수라는 꿈을 포기할 수는 없었으니까 무대라는 무대는 다 쫓아다녔어. 동네 시장 축제에도, 작은 행사에도……. 노래를 부를 수 있는 곳이라면 거리가 멀든, 무대가 작든 신경 쓰지 않고 달려가서 노래를 불렀지.

그렇게 인기 없는 가수로 10년을 보냈어. 아직도 텔레비전 프로그램에는 한 번도 출연하지 못했고, 많이 힘들고 지쳤지만 언젠가는 많은 사람들 앞에서 노래하고 환호를 받을 수 있을 거라고 생각하고 더 열심히 노력했지.

그런데 어느 날, 인터넷에 이 가수의 무대를 촬영한 동영상이 올라왔어.

'어? 이 가수 우리 동네 시장 축제 때 본 가수인데?'

'나도 이 가수를 지역 축제에서 본 적이 있어.'

작은 무대에서도 최선을 다하던 이 가수를 응원하는 사람이 점점 많아졌어. 그리고 동영상은 널리 퍼지고 퍼졌지. 인기가 많아지자 텔레비전 프로그램에서도 이 가수를 찾기 시작했단다.

그리고 결국 이 가수는 텔레비전 음악 프로그램에서 당당히 1위를 하고 많은 사람의 사랑을 받게 되었단다. 10년 동안의 노력이 [   ]을/를 발하게 거지.

지금 마음이 많이 힘들다고? 우리도 열심히 노력하다 보면 언젠가 이렇게 좋은 날이 올 거야. 다시 한 번 힘을 내 보자. 내가 응원할게!

5 빈칸에 들어갈 낱말로 알맞은 것은 어느 것입니까? ⋯⋯⋯⋯⋯⋯⋯⋯⋯⋯⋯⋯⋯⋯⋯⋯⋯ (   )

① 열　　　　　　　　② 빛　　　　　　　　③ 꽃

④ 소리　　　　　　　⑤ 마음

6 이 글의 내용과 어울리는 속담으로 가장 알맞은 것은 어느 것입니까? ⋯⋯⋯⋯⋯⋯⋯⋯ (   )

① 빛 좋은 개살구

② 초록은 제 빛이 좋다

③ 여우볕에 콩 볶아 먹는다

④ 쥐구멍에도 볕 들 날 있다

⑤ 가재는 게 편이요 초록은 한 빛이라

#국토

Q. 그림과 이어지는 해시태그(#)를 보고 알맞은 어휘를 골라 □에 V표 하시오.

① 🐰 하천 □ / 해안 □ ⋯

#국토 #바다 #땅 #바닷가 #해변
#여름_휴가는_여기로

② 🐰 평야 □ / 임야 □ ⋯

#국토 #땅 #넓음 #평평함
#대부분_마을이나_논밭

③ 🐰 산지 □ / 노지 □ ⋯

#국토 #땅 #산이_많음 #높음 #공기_좋음
#등산은_힘들어

④ 🐰 간척 □ / 개척 □ ⋯

#국토 #땅 #개발 #육지가_생김
#원래는_바다나_호수

정답 **①** 해안 **②** 평야 **③** 산지 **④** 간척

①

하천

강과 시내를 함께 이르는 말로 땅 위를 흐르는 크고 작은 물줄기들.

㉄ 하 천 에 폐수를 버리면 안 돼요.

해안

바다와 땅이 맞닿아 있는 곳.　유의어　바닷가

㉄ 해 안 지역은 경치가 아름다운 곳이 많아요.

▲ 하천

▲ 해안

②

평야

평평하고 넓은 땅.

㉄ 강의 하류 지역은 평 야 가 발달한 곳이 많습니다.

임야

숲과 들을 아울러 이르는 말.

㉄ 버려진 임 야 를 개발하여 공원을 만들었습니다.

→ 평야

평야는 농사짓기가 좋아서 사람들이 많이 모여 살아요.

③

산지

들이 적고 산이 많은 지대.

㉄ 우리나라는 산 지 가 많습니다.

노지

지붕 따위로 덮거나 가리지 않은 땅.

㉄ 노 지 에서 재배한 이 참외는 햇볕을 많이 받아서인지 다른 참외보다 맛이 좋다.

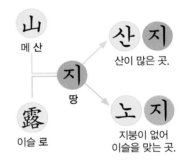

山
메 산

지
땅

露
이슬 로

산 지
산이 많은 곳.

노 지
지붕이 없어 이슬을 맞는 곳.

④

간척

바다나 호수의 일부를 둑으로 막고, 육지로 만드는 것.

㉄ 해안을 간 척 해 농사를 지을 땅을 만들었습니다.

개척

거친 땅을 일구어 논이나 밭과 같이 쓸모 있는 땅으로 만듦./새로운 영역, 운명, 진로 따위를 처음으로 열어 나감.

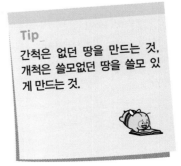
Tip_
간척은 없던 땅을 만드는 것, 개척은 쓸모없던 땅을 쓸모 있게 만드는 것.

#국토 #속담

Q. 그림과 이어지는 해시태그(#)를 보고 알맞은 속담을 골라 □에 V표 하시오.

개천에서 용 난다

시원찮은 환경이나 변변찮은 부모에게서 빼어난 인물이 나는 경우를 이르는 말.

비슷한 뜻의 속담

개똥밭에 인물 난다

개똥이 많이 있는 더러운 곳에서 뛰어난 사람이 나온다는 뜻으로 시원찮은 환경에서 빼어난 인물이 나는 경우를 이르는 말.

제 논에 물 대기

자기에게만 이롭도록 일을 하는 경우를 비유적으로 이르는 말.

비슷한 뜻의 사자성어

我 田 引 水
나 아　밭 전　끌 인　물 수

아전인수

자기 논에 물 대기라는 뜻으로, 자기에게만 이롭게 되도록 생각하거나 행동함을 이르는 말.

정답 제 논에 물 대기

#국토 #사자성어

Q. 그림과 이어지는 해시태그(#)를 보고 알맞은 사자성어를 골라 ☐에 V표 하시오.

망망대해 ☐ / 금수강산 ☐

어디로 가야 할지 모르겠지만,
자연은 이렇게나 아름답구나!

화, 산이
너무 아름
다워요

와~

♡ ○ ◁

#국토 #우리나라 #자연 #아름다운_강과_산 #경치가_좋음 #감탄

망망대해

한없이 크고 넓은 바다.

茫 茫 大 海
아득할 망 아득할 망 클 대 바다 해

아득하게 드넓은 → 바다

망망대해가
끝없이 펼쳐져
있네.

금수강산

비단에 수를 놓은 것처럼 아름다운 강과 산이라는 뜻으로, 우리나라의 자연을 비유적으로 이르는 말.

錦 繡 江 山
비단 금 수놓을 수 강 강 메 산

비단에 수놓은 것처럼 아름다운 → 강과 산

우리나라의
금수강산은
정말 아름다워!

정답 금수강산

1 빈칸에 알맞은 말을 보기에서 골라 쓰시오.

보기
하천　　해안　　평야　　임야

(1) 이 ☐☐ 은 얼마 안 가서 한강에 합류한다.

(2) 높은 파도가 ☐☐ 마을에 몰아닥쳐 많은 피해가 있었다.

2 다음 빈칸에 들어갈 낱말은 무엇인지 자음자를 보고 알맞은 낱말을 쓰시오.

이 사과는 ㄴ ㅈ 에서 자라서 햇볕을 많이 받아 맛이 좋아.

(　　　　　　　　)

3 다음 중 '임야'의 뜻으로 가장 알맞은 것은 어느 것입니까? ·········· (　　　)

① 숲과 들.
② 평평하고 넓은 땅.
③ 들이 적고 산이 많은 지대.
④ 바다와 땅이 맞닿아 있는 곳.
⑤ 지붕 따위로 덮거나 가리지 않은 땅.

4 다음 뜻풀이를 보고 십자말풀이를 완성하시오.

⬇ 세로 열쇠 ① 바다나 호수의 일부를 둑으로 막고, 육지로 만드는 것.
예 넓은 개펄을 ○○하여 농사지을 땅이 늘어났다.
➡ 가로 열쇠 ② 거친 땅을 일구어 논이나 밭과 같이 쓸모 있는 땅으로 만듦. 새로운 영역, 운명, 진로 따위를 처음으로 열어 나감.
예 그녀는 한국 무용의 새 영역을 ○○하는 데 앞장서 왔다.

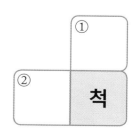

5 다음 이야기와 관련 있는 속담은 무엇입니까?

> "우리 마을에 공원을 어디에 만들면 좋을지 의견을 나누어 봅시다. 운동 시설도 들어서게 되니 가장 좋은 곳을 생각해서 발표해 주세요."
>
> 우리 마을에 새로운 공원을 만들기 위한 회의가 시작되었습니다. 가장 먼저 마을 입구에서 슈퍼를 운영하고 있는 연주네 아버지께서 말씀하셨습니다.
>
> "공원은 마을 입구에 만들어야 해요. 공원이 생겨서 사람이 많아지면 우리 슈퍼에 손님도 많아지겠지요. 하하하!"
>
> 그러자 재민이네 어머니께서 벌떡 일어나며 말씀하셨습니다.
>
> "안 돼요! 공원은 우리 집 근처에 있는 사거리에 만들어야 해요. 우리 재민이가 운동하는 것을 좋아하니까 운동 시설은 우리 집 근처에 생기는 게 좋아요."
>
> "우리 어머니께서 건강이 좋지 않으셔서요……."
>
> 정현이네 어머니께서 자리에서 일어나서 조심스럽게 말씀하셨습니다.
>
> "공원이 멀리 생기면 우리 어머니께서 이용하시기 힘드니까 저희 집 근처의 삼거리 쪽에 만들면 안 될까요?"
>
> "정현이 어머니! 그건 아니죠! 우리 집과 가까운 곳에 만들어야 한다니까요?"
>
> "아니에요! 우리 집과 가까운 곳에 만들어야 해요!"
>
> 너도나도 일어나서 서로의 의견을 주장하기 시작했어요.
>
> 회의장이 소란스러워지자 이장님이 마이크를 들고 말씀하셨습니다.
>
> "아, 아. 각자가 개인의 이익만 생각할 것이 아니라, 마을 전체의 상황을 고려해야 해요. 마을 사람 모두가 가장 잘 이용할 수 있는 곳이 어디일지 생각해 보고 내일 다시 회의하도록 하겠습니다."

(1) 개천에서 용 난다 (   )   (2) 제 논에 물 대기 (   )

6 다음 (   ) 안의 사자성어 중 알맞은 것에 ○표 하시오.

> 로빈슨 크루소는 (망망대해 / 금수강산)을/를 항해하다가 무인도에 도착했습니다.

7 다음 사진과 관련 있는 사자성어에 ○표 하시오.

(망망대해 / 금수강산)

누구나 100점 TEST

1 다음 표현과 관련 있는 것끼리 이으시오.

(1)
접시같이
둥근 보름달

· ① 은유

(2)
내 마음은
고요한 호수

· ② 직유

2 ( ) 안의 알맞은 말에 ○표 하시오.

평화의 (비유 / 상징)인 비둘기

3 다음 중 알맞은 문장에 ○표 하시오.

(1) 읽던 책을 마저 읽느라 밤을 꼬박 샜어.

( )

(2) 밤이 새도록 일을 해도 내일까지 다 못하겠다.

( )

4 글자판에서 글자를 골라 빈칸에 들어갈 알맞은 말을 쓰시오.

| 수 | 돌 | 노 | 잠 | 나 |
| 단 | 선 | 새 | 하 | 루 |

□□□을 자던 동생은 문이 닫히는 소리에도 깜짝 놀라 잠이 깼다.

( )

5 다음 그림을 보고 빈칸에 들어갈 말은 무엇인지 쓰시오.

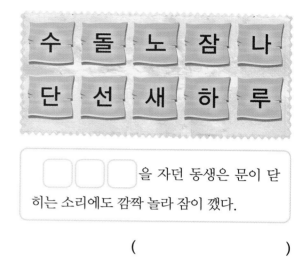

(1) 지구 → 내가 스스로 도는 것은 □□이라고 해.

( )

(2)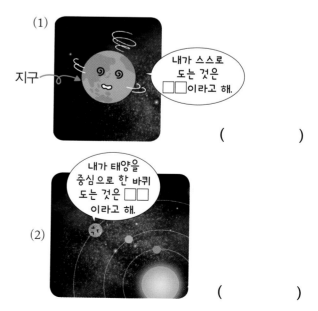
내가 태양을 중심으로 한 바퀴 도는 것은 □□이라고 해.

( )

6 다음 속담의 뜻으로 알맞은 것은 어느 것입니까?·····················(　)

> 달도 차면 기운다

① 모든 것이 잘되면 잘 안 될 때도 있다.
② 잘 아는 일도 세심하게 주의해야 한다.
③ 쉬운 일이라도 힘을 합치면 훨씬 쉽다.
④ 위급한 경우에도 정신만 차리면 벗어날 수 있다.
⑤ 정성을 다한 일은 반드시 좋은 결과를 얻는다.

7 다음 밑줄 그은 낱말이 알맞지 <u>않은</u> 것에 ×표 하시오.

(1) 헐거워진 나사를 바짝 <u>죄었다</u>. (　)

(2) 내 방에는 햇볕이 잘 <u>죄지</u> 않는다.
　　　　　　　　　　　　　　(　)

(3) 가족과 캠핑을 가서 모닥불을 <u>쬐었다</u>.
　　　　　　　　　　　　　　(　)

8 다음 빈칸에 들어갈 알맞은 말은 무엇입니까?
·····················(　)

> '　　　　에도 볕 들 날 있다'라는 속담은 지금 당장은 힘들어도 언젠가는 좋은 날이 있을 것이라는 뜻이다.

① 그늘　　　　　② 동굴
③ 쥐구멍　　　　④ 개구멍
⑤ 우리 집

9 ㉠과 ㉡에 들어갈 말이 알맞게 짝 지어진 것은 어느 것입니까?·····················(　)

> 땅 위를 흐르는 크고 작은 물줄기를 ㉠ 이라고 하고, 평평하고 넓은 땅을 ㉡ 라고 한다.

	㉠	㉡
①	해안	평야
②	해안	임야
③	하천	평야
④	하천	임야
⑤	하천	산지

10 다음 속담을 쓸 수 있는 상황으로 알맞은 것은 어느 것입니까?·····················(　)

> 개천에서 용 난다

① 꼴찌인 팀에서 최우수 선수가 나왔을 때
② 부모님과 아들이 아주 닮은 것을 보았을 때
③ 무거운 물건을 들고 가는데 친구가 도와줄 때
④ 그림을 그리고 있는데 친구가 물을 쏟아서 망쳤을 때
⑤ 단짝 친구에게만 한 이야기를 반 친구들이 모두 알고 있을 때

창의·융합·코딩 ❶
관용어 플러스

심금을 울리다

사고 쑥쑥

1 진서가 사막을 탐험하고 있어요, 글에 쓰인 알맞은 표현 방법을 찾으며 샘물이 있는 곳까지 길찾기를 해 보세요.

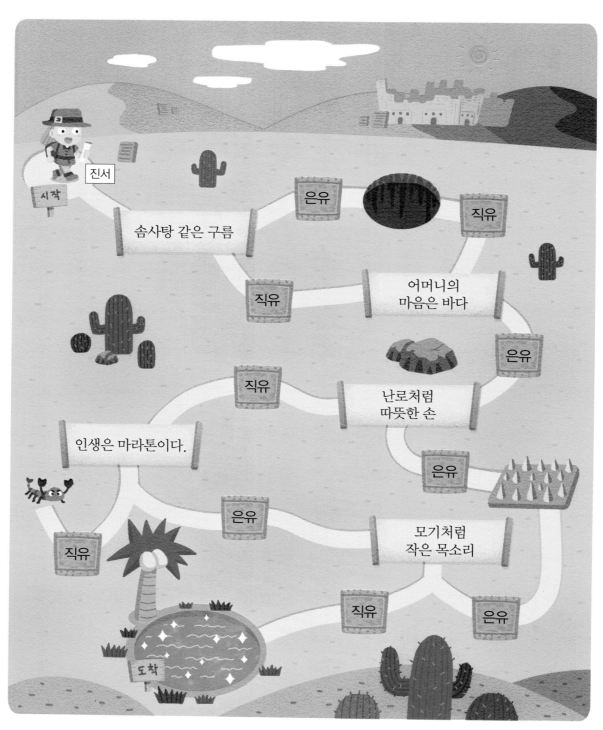

2 다음 그림에서 문제의 뜻을 나타내는 사자성어를 찾고, 번호 순서대로 답의 별을 선으로 이으세요.

문제

❶ 자나 깨나 잊지 못하다.

❷ 겉으로는 같이 행동하면서도 속으로는 각각 딴 생각을 한다.

❸ 한없이 크고 넓은 바다.

❹ 완전히 잠이 들지도 잠에서 깨어나지도 않은 상태.

❺ 현실의 세상을 떠나 조용하고 편안하게 사는 삶.

오매불망   망망대해

비몽사몽   과유불급

유비무환

개과천선

동상이몽   대기만성   유유자적   금수강산

논리 탄탄

1 빙고 게임을 하기 위해 친구들이 이야기하고 있어요.

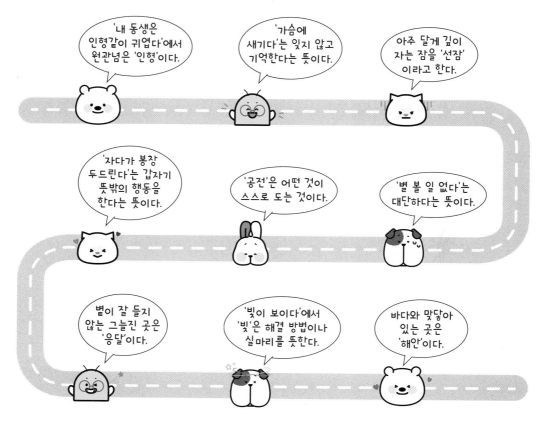

(1) 알맞게 이야기한 친구들을 다음 빙고 판에서 모두 찾아 ○표 하세요.

빙고 판

(2) 위 (1)번의 빙고 판에서 완성된 빙고는 모두 몇 줄인지 쓰세요.

(　　　　　　　　)줄

2 질문에 알맞은 대답을 찾아 화살표로 가는 길을 표시해 보세요.

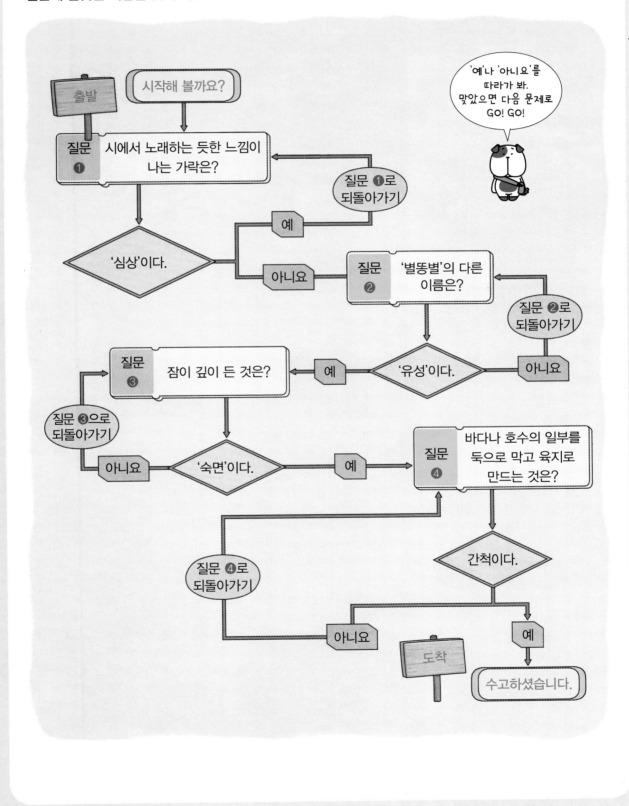

2주에는 무엇을 공부할까? ①

1일 국어 > 연설

해설 / 연설
쟁점 / 공약
호소력 / 집중력
명료하다 / 간절하다

관용어 주먹을 불끈 쥐다 / 귀가 얇다
사자성어 일목요연 / 횡설수설

2일 생활어 > 말

잔말 / 잔소리
말귀 / 말꼬리
변명 / 설명
토론 / 토의

속담 말은 해야 맛이고 고기는 씹어야 맛이다 / 입이 열 개라도 할 말이 없다
사자성어 우문현답 / 갑론을박

3일 과학 > 기체

기체 / 공기
산소 / 이산화 탄소
부피 / 무게
기류 / 기압

속담 바늘구멍으로 황소바람 들어온다 / 제집 연기는 남의 집 연기보다 낫다
관용어 바람을 넣다 / 바람을 쐬다

생활어 > 비교

우월하다 / 초월하다
비등비등하다 / 천차만별하다
견주다 / 겨루다
얇다 / 가늘다

내가 너보다 훨씬 더 많이 우월하거든?

아니거든! 내가 더 낫거든!

솔아, 네가 말해 봐. 우리 둘 중 누가 더 낫니?

내가 보기에는 둘 다 비등비등한데……

속담 손가락도 길고 짧다 / 콩이야 팥이야 한다
사자성어 막상막하 / 천양지차

5일 사회 > 재해

우박 / 서리
대설 / 한파
장마 / 호우
냉해 / 고사

왜 때려!

내가 때린 거 아니야. 하늘에서 우박이 떨어지네.

한파 주의보가 발표되었습니다.

뉴스에서 한파가 올 거라고 하더니 갑자기 기온이 뚝 떨어졌네.

얼른 여름이 되면 좋겠다.

사자성어 천재지변 / 풍비박산
속담 가물에 콩 나듯 / 장마에 오이 굵듯

 관용어 플러스⁺

너희들 얼굴이 판에 박았구나.

'판에 박다'는 무슨 뜻일까?

쟁점

공약

*공약은 선거에 출마한 후보자가 여러 사람에게 하는 약속.

'쟁점'과 '공약'은 무엇일까?

1 '공약'의 뜻으로 알맞은 것은? (   )

① 서로 다투는 중심이 되는 내용.

② 회의에서 의논하는 중심이 되는 문제.

③ 선거에 출마한 후보자가 당선되면 어떤 일을 하겠다고 약속하는 것.

토론

토의

*토론은 찬성과 반대로 말하는 것, 토의는 가장 좋은 의견을 말하는 것.

'토론'과 '토의'는 언제 할까?

2 다음 중 토론 주제로 알맞은 것에 ○표 하시오.

(1)

학급 문고의 책을 잘 관리하는 방법

(   )

(2)

초등학생이 화장을 해도 되는가?

(   )

견주다

겨루다

*겨루는 것은 서로 승부를 다투는 것.

'견주다'와 '겨루다'는 어떻게 다를까?

3 빈칸에 '겨루다'가 들어가기 어색한 것은? (　　　　)

① 제기차기 실력을 ☐.

② 서로 힘을 ☐.

③ 색연필의 길이를 ☐.

입이 열 개라도
할 말이 없다

*변명할 수도 없는 상황

입이 열 개라도 할 말이 없다는 것은 무슨 뜻일까?

내 과자까지 다 먹었어?

접시도 깼어? 말 좀 해 봐.

4 입이 열 개라도 할 말이 없는 상황에 처한 사람은?

• 과자를 친구에게 빼앗긴 봄이
• 친구의 과자를 몰래 먹고 접시까지 깬 솔이

(　　　　　　　)

#연설 🔍

Q. 그림과 이어지는 해시태그(#)를 보고 알맞은 어휘를 골라 ☐에 V표 하시오.

① 🐰 해설 ☐ / 연설 ☐ ···

#연설 #주장 #여러_사람_앞에서
#여러_사람을_설득하기

② 🐰 쟁점 ☐ / 공약 ☐ ···

#연설 #선거 #후보자 #모두와의_약속
#투표할_때_따져볼_것

③ 🐰 호소력 ☐ / 집중력 ☐ ···

#연설 #알림 #강한_인상 #더_와닿음
#마음을_사로잡음

④ 🐰 명료하다 ☐ / 간절하다 ☐ ···

#연설 #바라는_마음 #제발 #꼭
#비나이다_비나이다

정답 ① 연설 ② 공약 ③ 호소력 ④ 간절하다

1

해설

문제나 사건의 내용 따위를 알기 쉽게 풀어서 설명함.

예 이 책에는 문제에 대한 자세한 해설 이 실려 있다.

연설

여러 사람 앞에서 자기의 주장 또는 의견을 말함.

예 사람들은 그 연설 을 듣고 감명을 받았다.

解 풀 해
설 말씀
演 펼 연

해 설 → 풀어서 설명하는 것.
연 설 → 의견을 펴는 것.

2

쟁점

서로 다투는 중심이 되는 점.

예 교실에서 휴대 전화를 사용해도 되는지가 중요 쟁 점 으로 떠올랐다.

공약

선거에 출마한 후보자가 자신이 당선되면 어떤 일을 하겠다고 약속하는 것. 또는 그런 약속.

예 당선자는 공 약 을 지켜야 한다.

爭 다툴 쟁　點 점 점
의견이 달라서 다투는 문제.

公 여러 사람 공　約 약속 약
여러 사람에게 약속하는 것.

3

호소력

강한 인상을 주어 마음을 사로잡을 수 있는 힘.

예 선생님의 연설은 강한 호 소 력 을 가지고 있다.

집중력

마음이나 주의를 집중할 수 있는 힘.

예 동생은 게임할 때만 집 중 력 이 좋다.

호소력 있는 연설

연설을 잘 듣는 집중력

4

명료하다

뚜렷하고 분명하다.

예 짝은 질문에 명 료 하 게 대답했다.

간절하다

마음속에서 우러나와 바라는 정도가 매우 절실하다.

예 1등을 하고 싶은 마음이 간 절 하 다.

간절한 부탁을 들어주세요. 성냥 사세요.

#연설 #관용어

Q. 그림과 이어지는 해시태그(#)를 보고 알맞은 관용어를 골라 □에 V표 하시오.

주먹을 불끈 쥐다 □ / 귀가 얇다 □

제가 생쥐 대표가 되어야 합니다. 제가 대표가 되면 우리 생쥐 마을은 훨씬 살기 좋아질 겁니다.

쥐 대표 뽑기

살기 좋고 안전한 생쥐 마을! 제가 꼭 그렇게 만들겠습니다.

#연설 #의지의_표현 #결심 #다짐 #강조 #마음을_정함 #때리지는_말고

주먹을 불끈 쥐다

주먹을 꼭 쥐며 무엇에 대한 굳은 마음과 결심을 나타내다.

주먹을 불끈 쥐다
마음을 다잡듯이   단단히

반드시 1등을 하겠어!

귀가 얇다

남의 말을 쉽게 받아들인다.

귀가 얇다
(얇아서) 걸러서 듣지 못한다

비슷한 뜻의 사자성어

附 和 雷 同
붙을 부 화할 화 우레 뇌 한가지 동

부화뇌동

우레(천둥) 소리에 맞춰 함께한다는 뜻으로, 자신의 생각이 아니라 남의 의견에 따라 움직인다는 뜻.

정답 주먹을 불끈 쥐다

#연설 #사자성어 🔍

Q. 그림과 이어지는 해시태그(#)를 보고 알맞은 사자성어를 골라 ☐에 V표 하시오.

🐰 일목요연 ☐ / 횡설수설 ☐

#연설 #아무렇게나_말하기 #이랬다가 #저랬다가 #아니_그게_아니라 #아무_말_대잔치

일목요연	횡설수설
한 번 보고 대번에 알 수 있을 만큼 분명하고 뚜렷하다.	앞뒤가 들어맞지 않게 말을 이러쿵저러쿵하다.

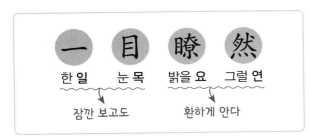

一 目 瞭 然
한 일　눈 목　밝을 요　그럴 연
↘　　　　　↘
잠깐 보고도　　환하게 안다

橫 說 竪 說
가로 횡　말씀 설　세울 수　말씀 설
↘　　　　　↘
이렇게 말하다가　　저렇게 말한다

뜻이 비슷한 말

<u>개소리괴소리</u>

개 짖는 소리와 고양이 우는 소리라는 뜻으로, 조리 없이 되는대로 마구 지껄이는 말을 속되게 이르는 말.

일목요연하게 정리해 줄게.

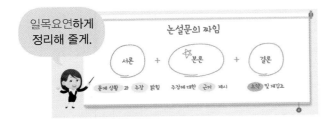

논설문의 짜임

서론 + 본론 + 결론

문제 상황　과　주장　밝힘　　주장에 대한　근거　제시　　요약　및 재강조

1 다음을 관련 있는 것끼리 선으로 이으시오.

(1) 선생님께서 문제를 푸는 방법을 설명해 주시는 것. •

• ① 해설

(2) 조회 시간에 교장 선생님께서 안전한 학교생활을 하자고 말씀하시는 것. •

• ② 연설

2 다음은 무엇에 해당합니까? ....(   )

안녕하십니까? 학생회 회장 후보 기호 1번 김해리입니다. 저는 여러분을 위하여 최선을 다하고 여러분의 심부름꾼이 되기 위하여 이 자리에 나왔습니다.
어린이 여러분, 제가 학생회 회장이 된다면 화장실에 방향제를 놓도록 하겠습니다. 하루에도 몇 번씩 사용하는 화장실에서 좋은 냄새가 난다면 더 쾌적한 학교생활이 될 수 있을 것입니다.
어린이 여러분, 저와 함께라면 향기 나는 화장실을 이용할 수 있습니다. 기호 1번 김해리를 기억해 주십시오. 감사합니다.

① 계약   ② 논점   ③ 쟁점
④ 공약   ⑤ 주제

3 다음 문장의 빈칸에 '호소력'이나 '집중력'을 골라 써넣으시오.

(1) 이 노래 가사는 ☐☐☐ 이 있어.

(2) 동생은 ☐☐☐ 이 모자라 책상 앞에 오래 앉아 있지 못한다.

(3) 회의 시간에 태연이는 ☐☐☐ 있게 자신의 주장을 이야기하였다.

4 (   ) 안의 알맞은 말에 ○표 하시오.

(1) 놀이공원에 가고 싶은 마음이 (명료 / 간절)했어요.

(2) 회의를 할 때에는 감정적이지 않은 태도로 (명료한 / 간절한) 내용을 말하는 것이 좋습니다.

5 다음 글의 내용과 관련 있는 관용어에 ○표 하시오.

어느 더운 여름날이었어요. 아버지와 아이가 당나귀를 팔려고 시장에 가고 있었어요. 아버지와 아이는 땀을 뻘뻘 흘렸어요. 지나가던 농부가 그 모습을 보고 말했어요.

"당나귀를 타고 가면 될걸 왜 땀을 뻘뻘 흘리며 끌고 갑니까?"

농부의 말을 들은 아버지는 당장 아이를 당나귀에 태웠어요.

한참을 걷는 중에 한 노인을 만났어요. 노인은 화를 내며 말했어요.

"버릇없이 아버지는 걷게 하고 자기만 편하게 당나귀를 타고 가다니!"

노인의 말을 듣고 보니 정말 그런 것 같았어요. 아버지는 얼른 아이를 당나귀에서 내리게 하고 자신이 당나귀를 탔어요.

또 한참을 걸어가는데 이번에는 한 아낙이 아버지와 아들을 보고 말했어요.

"어머, 자기만 편하게 당나귀를 타고 아이는 걷게 하다니. 아이도 같이 당나귀에 태우면 될걸. 쯧쯧."

아버지가 들어 보니 아낙의 말도 맞는 것 같았어요. 아버지는 얼른 아이도 당나귀에 태웠지요. 두 사람이 올라타자 당나귀는 힘든 듯이 비틀비틀 힘들게 걸음을 걸었어요.

한 청년이 아버지와 아들을 보더니 말했어요.

"두 사람이나 태우고 가다니 당나귀가 정말 불쌍하네. 나 같으면 당나귀를 메고 갈 텐데."

청년의 말을 듣고 보니 당나귀가 불쌍하게 생각됐어요. 아버지와 아들은 당나귀에서 내려 당나귀를 메고 시장을 향했어요. 이제 외나무다리 하나만 건너면 시장이에요.

"으히힝!"

갑자기 당나귀가 버둥거리는 바람에 아버지와 아들은 당나귀를 놓치고 말았어요. 당나귀는 그대로 떠내려가고 말았지요.

"다른 사람의 말만 듣다가 결국 귀한 당나귀를 잃고 말았구나!"

아버지와 아이는 뒤늦게 후회했지만 아무 소용이 없었답니다.

(1) 귀가 얇다 (   )　　　　(2) 손이 크다 (   )

(3) 주먹이 오가다 (   )　　　(4) 주먹을 불끈 쥐다 (   )

6 다음 사자성어의 뜻을 선으로 이으시오.

(1) | 일목요연 | ·

· ① | 앞뒤가 들어맞지 않게 말을 이러쿵 저러쿵하다.

(2) | 횡설수설 | ·

· ② | 한 번 보고 대번에 알 수 있을 만큼 분명하고 뚜렷하다.

#말

Q. 그림과 이어지는 해시태그(#)를 보고 알맞은 어휘를 골라 □에 V표 하시오.

① 잔말 □ / 잔소리 □

#말 #참견 #듣기_싫음
#부모님의_이것은_걱정과_사랑

② 말귀 □ / 말꼬리 □

#말 #말뜻 #듣기_능력 #말의_의미
#이해력

③ 변명 □ / 설명 □

#말 #이유 #핑계 #잘못 #실수
#구차한_이것

④ 토론 □ / 토의 □

#말 #의논 #가장_좋은_방법
#여러_가지_의견

정답 ① 잔소리 ② 말귀 ③ 변명 ④ 토의

①
잔말
하지 않아도 될 말을 자꾸 쓸데없이 늘어놓는 말.
예 잔 말 말고 시키는 대로 해.

잔소리
필요 이상으로 듣기 싫게 꾸짖거나 참견함. 또는 그런 말.
예 형의 물건을 허락도 없이 썼다가 한참 동안 잔 소 리를 들었다.

'잔-'은 '가늘고 작은' 또는 '자질구레한'의 뜻을 더하는 말이야.

---

②
말귀
말이 뜻하는 내용. 또는 남이 하는 말의 뜻을 잘 알아듣는 능력.
예 동생은 말 귀를 못 알아듣고 눈만 껌뻑거렸다.

말꼬리
한마디 말이나 한 차례 말의 맨 끝. 유의어 말끝
예 짝은 무슨 말을 하려다가 말 꼬 리를 흐렸다.

Tip_
말꼬리를 물고 늘어지다
: 남이 한 말 가운데서 꼬투리를 잡아 꼬치꼬치 따지고 들다.

---

③
변명
어떤 잘못이나 실수에 대하여 핑계를 대며 그 까닭을 말함.
예 진서는 지각한 이유에 대해서 변 명을 늘어놓았다.

설명
어떤 일이나 대상의 내용을 상대편이 잘 알 수 있도록 밝혀 말함.
예 어려운 것도 선생님의 설 명을 들으면 잘 알 수 있다.

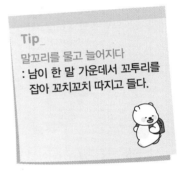

辨 변론할 변
說 설명할 설
명 밝히다
변 명 핑계를 밝힘.
설 명 풀어서 밝힘.

---

④
토론
어떤 문제에 대해 찬성과 반대의 의견을 말하며 논의하는 것. '초등학생이 스마트폰을 사용해도 되는가?', '친구의 별명을 부르는 것은 바람직한가?' 등의 주제

토의
어떤 문제에 대한 가장 좋은 해결 방법을 찾기 위해 여럿이 함께 의논하는 것. '학예 발표회에서 무엇을 할 것인가?', '교실에서 앉는 자리를 어떻게 정할 것인가?' 등의 주제

토론 토의
찬성과 반대 / 문제 해결 / 가장 좋은 방법

2일 생활 어휘

#말 #속담 🔍

Q. 그림과 이어지는 해시태그(#)를 보고 알맞은 속담을 골라 ☐에 V표 하시오.

말은 해야 맛이고 고기는 씹어야 맛이다 ☐ / 입이 열 개라도 할 말이 없다 ☐

> 내 귀가 이상하냐?
> 많이 이상하냐?
> 그렇게 이상하냔
> 말이다!

> 네. 할 말은 해야지요.
> 아주 크고 이상하긴
> 하네요.

♡ Q ◁

#말 #할_말 #속_시원하게 #끙끙거리지_말고 #털어_놓자

말은 해야 맛이고 고기는 씹어야 맛이다

마땅히 할 말은 해야 한다는 말.

> 말은 해야 맛이고 고기는 씹어야 맛이다
> 말은 해야 한다   고기는 씹어야 하는 것처럼

'말'과 관련된 속담

입은 비뚤어져도 말은 바로 해라

아무리 상황이 안 좋아도 말은 언제나 바르게 해야 한다는 뜻.

입이 열 개라도 할 말이 없다

잘못이 명백히 드러나 변명할 말이 없음을 비유적으로 이르는 말.

> 입이 열 개라도 할 말이 없다
> 입이 많아도   변명할 말

비슷한 뜻의 사자성어

有 口 無 言
있을 유   입 구   없을 무   말씀 언

유구무언

입은 있으나 말이 없다는 뜻으로, 변명할 말이 없다는 뜻.

 **정답** 말은 해야 맛이고 고기는 씹어야 맛이다

#말 #사자성어

Q. 그림과 이어지는 해시태그(#)를 보고 알맞은 사자성어를 골라 ☐에 V표 하시오.

우문현답 ☐ / 갑론을박 ☐

#말 #질문과_대답 #어리석은_질문 #현명한_대답 #정확한_답변

우문현답

어리석은 질문에 현명하게 대답하는 것.

뜻이 반대인 사자성어

현문우답

어질고 현명한 물음에 어리석은 대답을 한다는 뜻.

갑론을박

여러 사람이 서로 자신의 주장을 내세우며 상대편의 주장을 반박함.

비슷한 뜻의 사자성어

설왕설래

어떤 문제를 놓고 사람들이 서로 의견을 내세우면서 옥신각신한다는 뜻.

정답 우문현답

1 다음 빈칸에 공통으로 들어갈 말은 무엇인지 ○표 하시오.

- 엄마는 내 방에 들어오셔서 청소 좀 하라고 ☐☐☐을/를 하셨다.
- 미술 시간에 찰흙으로 만들기를 할 때 정민이가 계속 참견하고 ☐☐☐을/를 해서 귀찮았다.

(잔말 / 잔소리)

2 다음은 어떤 낱말의 뜻입니까? ·· (   )

말이 뜻하는 내용.

① 말귀   ② 말끝   ③ 말머리
④ 말꼬리   ⑤ 말허리

3 밑줄 그은 낱말을 알맞게 사용하지 못한 문장은 어느 것입니까? ······················· (   )

① 할머니께 컴퓨터 사용 방법을 <u>설명</u>해 드렸다.
② 아빠께서 장난감의 작동 원리를 <u>설명</u>해 주셨다.
③ 선생님의 <u>설명</u>은 아주 쉬워서 머리에 잘 들어온다.
④ 그 박사가 공개한 이론은 <u>변명</u>되지 않은 부분이 많다.
⑤ 섣부른 <u>변명</u>은 통하지 않을 테니 잘못을 빌어야겠습니다.

4 다음을 토론 주제와 토의 주제로 구별하여 기호를 쓰시오.

㉠ 현장 체험학습을 어디로 갈 것인가
㉡ 운동장에 쓰레기통을 없애야 하는가
㉢ 급식 먹는 순서를 어떻게 정할 것인가
㉣ 초등학생의 스마트폰 사용 시간을 제한해야 하는가

토론 주제	토의 주제
(1)	(2)

5 다음 빈칸에 들어갈 사자성어는 무엇입니까? ⋯⋯⋯⋯⋯⋯⋯⋯⋯⋯⋯⋯⋯⋯⋯⋯⋯⋯⋯⋯ (   )

> 지난 2일 대형 반려견이 울타리를 뛰어넘어 길을 지나던 여성을 공격해 중상을 입히는 사고가 있었습니다. 여성은 길을 가다가 뛰어나오는 개를 보고 놀라서 넘어졌고, 개에게 다리를 물려 곧바로 병원으로 옮겨져 치료를 받았습니다. 사고 이후에 견주는 피해자에게 사과의 뜻을 전하며 치료에 최선을 다할 것이고 앞으로 반려견의 교육에도 더욱 신경을 쓰겠다는 뜻을 전했고, 피해자는 견주가 치료와 대처에 최선을 다하는 모습을 보고 견주와 개에 대하여 다른 처벌은 원하지 않는다는 입장을 밝혔습니다. 그러나 이 사건을 본 누리꾼들은 해당 사건을 두고 [   ]을/를 펼치고 있습니다.
>
> 일부 누리꾼들은 '개가 사람을 물었으면 견주가 처벌을 받아야 한다.'라거나 '피해자가 괜찮다고 했어도 사람을 문 개는 교육만으로 달라질 수 없으므로 다른 조치를 취해야 한다.'라는 등의 반응을 보였습니다.
>
> 그러나 또 다른 일부 누리꾼들은 '개가 울타리를 뛰어넘을 것은 견주도 예상하지 못했을 것이므로 견주의 책임이 아니다.', '피해자가 괜찮다고 했으니 당사자가 아닌 다른 사람이 견주를 탓하는 것은 옳지 않다.', '견주가 개를 교육한다고 했으니 다른 사람들은 그냥 지켜보면 된다.'라는 등의 반응을 보였습니다.

① 만장일치   ② 우문현답   ③ 갑론을박
④ 일거양득   ⑤ 용두사미

6 다음 사자성어의 뜻으로 빈칸에 알맞은 말을 쓰시오.

우문현답: (1)   질문에 (2)   대답하는 것.

7 밑줄 그은 내용과 바꾸어 쓸 수 있는 속담으로 알맞은 것에 ○표 하시오.

> 동생 과자를 몰래 먹었다. 동생이 울면서 엄마께 이르자 엄마는 나에게 과자를 먹었느냐고 물어보셨다. 나는 혼날까 봐 겁이 나서 아니라고 대답을 했다. 그런데 엄마께서 내 입가에 묻은 과자 부스러기를 손으로 떼 주시면서 "이래도 네가 먹은 게 아니니?"라고 말씀하셔서 나는 <u>아무 말도 할 수가 없었다.</u>

(1) 입이 열 개라도 할 말이 없다 (   )

(2) 말은 해야 맛이고 고기는 씹어야 맛이다 (   )

#기체

Q. 그림과 이어지는 해시태그(#)를 보고 알맞은 어휘를 골라 □에 V표 하시오.

① 기체 □ / 공기 □ ...

#기체 #대기 #숨 #호흡 #나를_둘러싼_것
#생물에게_꼭_필요함

② 산소 □ / 이산화 탄소 □ ...

#기체 #숨_쉴_때_필수
#공기의_주요_성분 #불탈_때도_필수

③ 부피 □ / 무게 □ ...

#기체 #공간 #공간의_크기 #입체
#부풀다

④ 기류 □ / 기압 □ ...

#기체 #공기 #압력 #공기가_누르는_힘
#높은_곳에서_낮아짐

정답 ① 공기 ② 산소 ③ 부피 ④ 기압

① **기체**
모양과 부피가 일정하지 않고 공간에 널리 퍼지며, 손으로 만질 수 없는 물질.

ⓔ 물은 100℃에서 기체 상태로 변한다.

공기
지구를 둘러싼 대기의 아래쪽을 구성하고 있는, 색과 냄새가 없는 기체.

ⓔ 공기가 빠져서 축구공이 쪼그라졌다.

Tip_
공기 안에는 질소, 산소, 이산화 탄소 등 여러 가지 기체가 들어 있음.

② **산소**
공기를 이루는 것으로 사람이 숨을 쉴 때 들이마시는 기체. 색깔과 냄새가 없으며, 물질이 타는 데에도 꼭 필요함.

이산화 탄소
물질이 탈 때 생기는 색깔과 냄새가 없는 기체. 사람이 숨을 내쉴 때에도 나옴.

산소의 성질
· 색깔과 냄새가 없음.
· 물질이 타는 것을 도움.
· 금속을 녹슬게 함.

이산화 탄소의 성질
· 색깔과 냄새가 없음.
· 물질이 타는 것을 막음.
· 석회수를 뿌옇게 만듦.

③ **부피**
넓이와 높이를 가진 물건이 공간에서 차지하는 크기.

ⓔ 풍선에 공기를 불어 넣으면 부피가 커진다.

무게
물건의 무거운 정도.

ⓔ 저울에 공을 올려서 공의 무게를 재어 보았다.

공이 차지하는 공간은
부피

공이 무거운 정도는
무게

④ **기류**
온도나 지형의 차이에 의해 일어나는 공기의 흐름.

ⓔ 기류가 불안정해서 비행기가 심하게 흔들렸다.

기압
공기의 무게 때문에 나타나는 압력.

ⓔ 높은 산에 오르자 기압이 낮아져서 귀가 먹먹했다.

流 → 기류
흐를 류　　공기의 흐름.

기
공기

壓 → 기압
누를 압　　공기가 누르는 힘.

#기체 #속담 🔍

Q. 그림과 이어지는 해시태그(#)를 보고 알맞은 속담을 골라 ☐에 V표 하시오.

🐰 바늘구멍으로 황소바람 들어온다 ☐ / 제집 연기는 남의 집 연기보다 낫다 ☐

이 금도끼가 더 좋다니까? 금도끼를 너 준다니까?

아닙니다. 손에 익은 제 쇠도끼가 더 좋습니다. 그냥 제 쇠도끼를 주세요.

♡ ◯ ◁

#기체 #연기 #비교 #정든_것이_좋음 #내_것이_최고야

바늘구멍으로 황소바람 들어온다

추울 때에는 바늘구멍 같은 작은 구멍으로도 엄청나게 센 찬 바람이 들어온다는 뜻으로, 작은 것이라도 때에 따라서는 소홀히 하여서는 안 됨을 비유적으로 이르는 말.

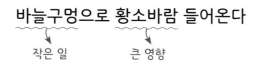

바늘구멍으로 황소바람 들어온다
↓ 작은 일   ↓ 큰 영향

비슷한 뜻의 속담

큰 둑도 개미구멍으로 무너진다

조그마한 일이라고 얕보다가는 그 때문에 큰 피해를 입는다는 뜻.

제집 연기는 남의 집 연기보다 낫다

대단하거나 중요하지 않은 것이라도 정든 것이 좋다는 말.

제집 연기는 남의 집 연기보다 낫다
↓ 정든 것 ↓ 사소한 것 ↓ 익숙하지 않은 것

내 인형이 훨씬 귀여워.

제집 연기는 남의 집 연기보다 낫다더니 똑같은 인형인데…….

정답 제집 연기는 남의 집 연기보다 낫다

#기체 #관용어 🔍

Q. 그림과 이어지는 해시태그(#)를 보고 알맞은 관용어를 골라 ☐에 V표 하시오.

🐰 바람을 넣다 ☐ / 바람을 쐬다 ☐

#기체 #바람 #부추기다 #이렇게_해 #저렇게_해 #헛바람은_안_돼

2 주

바람을 넣다

남을 부추겨서 무슨 행동을 하려는 마음이 생기게 만들다.

> **바람을 넣다**
> ↝
> 남을 부추기거나 정신을 빼는 일

바람을 쐬다

기분 전환을 위하여 바깥이나 딴 곳을 거닐거나 다니다.

> **바람을 쐬다**
> ↓
> 공기의 움직임

정답 바람을 넣다

1 물의 상태 변화로 다음 빈칸에 들어갈 알맞은 낱말을 써넣으시오.

▲ 고체　　　　　▲ 액체　　　　　▲ ⬚

2 다음에서 설명하는 것은 어느 것입니까? ·· (　　)

- 물질이 탈 때 생기는 기체 중 하나이다.
- 석회수를 뿌옇게 만든다.

① 산소　　　　　② 질소　　　　　③ 헬륨

④ 아르곤　　　　⑤ 이산화 탄소

3 다음 그림을 보고 빈칸에 '부피'와 '무게' 중 알맞은 말을 써넣으시오.

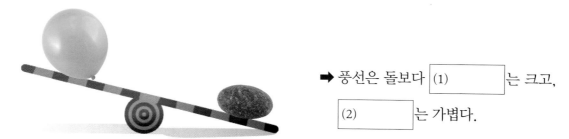

➡ 풍선은 돌보다 (1) ⬚ 는 크고,

　　　　(2) ⬚ 는 가볍다.

4 다음 낱말의 뜻을 선으로 이으시오.

(1) 기압 ・

(2) 기류 ・

・① 공기의 무게 때문에 나타나는 압력.

・② 온도나 지형의 차이에 의해 일어나는 공기의 흐름.

5 다음 빈칸에 들어갈 속담으로 알맞은 것은 어느 것입니까? ⸺⸺⸺⸺⸺⸺⸺⸺⸺ (　　)

> 이번 주 날씨를 알려 드리겠습니다.
>
> 이번 주는 주말이 가까워지면서 점점 더 추워지겠는데요. 내일 비나 눈이 지나고 나면 아침 기온이 지금보다 더 내려갈 전망입니다.
>
> 주말에는 서울의 기온이 영하 3도까지 내려가겠고 일요일쯤 전국에 또 한차례 눈비가 내리면서 월요일에는 서울의 아침 온도가 영하 5도까지 뚝 떨어지겠습니다.
>
> [　　　　　　　　　　] 는 말 들어 본 적 있으신가요?
>
> 추운 겨울철 문틈으로 새어 들어오는 매서운 바람을 일컫는 우리나라의 속담인데요. 실제로 활짝 열린 창으로 들어오는 바람보다 문틈 사이로 새어 들어오는 바람은 그 세기가 실제보다 훨씬 더 강합니다. 이 문틈 바람을 조금이나마 줄이기 위해서는 문풍지를 바른다거나 커튼 등을 이용할 수 있는데요. 하지만 무엇보다도 적당한 난방으로 실내외 기온차를 줄이는 것이 가장 좋은 방법이 될 수 있습니다.
>
> 감기 걸리기 쉬운 날씨입니다. 건강 관리를 잘 하시기 바랍니다.
>
> 날씨 정보였습니다.

① 바람 따라 돛을 단다

② 오뉴월 바람도 불면 차갑다

③ 바늘구멍으로 황소바람 들어온다

④ 가지 많은 나무에 바람 잘 날 없다

⑤ 바늘 가는 데 실 가고 바람 가는 데 구름 간다

6 다음 속담의 뜻으로 빈칸에 들어갈 알맞은 말은 무엇입니까? ⸺⸺⸺⸺⸺⸺⸺⸺⸺ (　　)

> 제집 연기는 남의 집 연기보다 낫다
>
> → 대단하거나 중요하지 아니한 것이라도 [　　　　　] 이 좋다는 말.

① 큰 것　　　　　　② 비싼 것　　　　　　③ 정든 것

④ 유명한 것　　　　⑤ 새로운 것

7 (　) 안의 알맞은 말에 ○표 하시오.

> 시진: 숙제를 너무 열심히 했더니 머리가 아픈 것 같네.
>
> 민오: 숙제 다 끝내고 바람을 (쐬러 / 넣으러) 가자.

#비교 🔍

Q. 그림과 이어지는 해시태그(#)를 보고 알맞은 어휘를 골라 ☐에 V표 하시오.

① 🐰 우월하다 ☐ / 초월하다 ☐ ···

까불지 마. 내가 너보다 훨씬 더 ○○하거든?

아니거든! 내가 더 낫거든!

♡ Q ◁   🔖

#비교 #뛰어남 #더_나음
#너보다_내가_더_○○해

② 🐰 비등비등 ☐ / 천차만별 ☐ ···

솔아, 네가 말해 봐. 우리 둘 중 누가 더 낫니?

=

내가 보기에는 둘 다 ○○○○한데······

♡ Q ◁   🔖

#비교 #비슷비슷 #차이가_적음
#거기서_거기

③ 🐰 견주다 ☐ / 겨루다 ☐ ···

아니라고! 내 벌침이 훨씬 더 낫다고!

그래, 그럼 어디 한번 나란히 ○○○ 보자.

♡ Q ◁   🔖

#비교 #나란히_놓고 #대어_보기
#낫고_못함

④ 🐰 얇다 ☐ / 가늘다 ☐ ···

이것 봐. 내 벌침이 더 ☐.

벌침이 ☐게 더 좋은 거야?

♡ Q ◁   🔖

#비교 #굵기 #길고_둥근_것
#굵다의_반대말

정답 ① 우월하다 ② 비등비등 ③ 견주다 ④ 가늘다

①

우월하다
―
초월하다

다른 것보다 낫다.

㉝ 짝은 나보다 수학 실력이 우월하다.

어떠한 한계나 표준을 뛰어넘다.

㉝ 우주는 우리의 상상을 초월할 만큼 넓다.

이 선수는 실력이 우월해.

실력이 정말 상상을 초월하네.

②

비등비등 하다

천차만별 하다

여럿이 서로 엇비슷하다.

㉝ 이 팀과 저 팀은 실력이 비등비등해서 승부를 내기 힘들다.

많은 사람들이나 사물들이 모두 차이가 있다.

㉝ 농산물의 가격은 지역마다 천차만별하다.

크기는 비등비등한데 가격은 천차만별하네.

③

견주다
―
겨루다

둘 이상의 사물을 어떤 것이 더 나은지 알기 위해 서로 대어 보다.

㉝ 누구 키가 더 큰지 견주어 보자.

누가 더 힘이 세거나 능력이 있는지 가리기 위해 맞서 싸우다.

㉝ 이기고 지는 것은 겨루어 봐야 안다.

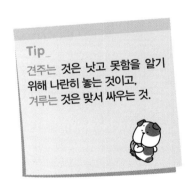

Tip_
견주는 것은 낫고 못함을 알기 위해 나란히 놓는 것이고, 겨루는 것은 맞서 싸우는 것.

④

얇다

가늘다

두께가 두껍지 아니하다.

반의어 두껍다

굵기가 보통의 경우에 미치지 못하고 짧다.

반의어 굵다

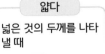

얇다

넓은 것의 두께를 나타낼 때

가늘다

길고 둥근 것의 둘레를 나타낼 때

▲ 공책이 얇다.　▲ 종이가 얇다.

▲ 연필이 가늘다.　▲ 실이 가늘다.

#비교 #속담

Q. 그림과 이어지는 해시태그(#)를 보고 알맞은 속담을 골라 ☐에 V표 하시오.

손가락도 길고 짧다 ☐ / 콩이야 팥이야 한다 ☐

어머, 아이들이 다 똑같이 생겼네요.

아니에요. 첫째는 코 위에 점이 귀엽고, 둘째는 얼룩이 조금 더 진하답니다. 셋째는 발이 크고요, 넷째는……

#비교 #차이 #다름 #각각의_특성 #조건이_같아도_구별됨

손가락도 길고 짧다

아무리 같은 조건에 있다고 하더라도 조금씩은 서로 차이가 있게 마련이라는 것을 비유적으로 이르는 말.

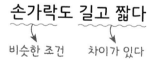

손가락도 길고 짧다

비슷한 조건   차이가 있다

우리는 같은 선생님한테 배웠는데 왜 성적은 이렇게 다르지?

손가락도 길고 짧다고, 당연한 거 아니겠니?

콩이야 팥이야 한다

콩의 싹이나 팥의 싹이나 거의 비슷한데도 그것을 구별하느라 다투는 것과 같이, 중요하지 않은 일을 가지고 서로 옳다고 말다툼을 하는 경우를 비유적으로 이르는 말.

콩이야 팥이야 한다

서로 비슷한 것

▲ 콩의 싹   ▲ 팥의 싹

이렇게 비슷한데 콩이야 팥이야 하네.

정답 손가락도 길고 짧다

Q. 그림과 이어지는 해시태그(#)를 보고 알맞은 사자성어를 골라 □에 V표 하시오.

막상막하

위도 없고 아래도 없다는 뜻으로 수준이나 실력이 비슷하여 차이가 거의 없는 경우를 뜻함.

비슷한 뜻의 속담

도토리 키 재기

크기가 고만고만한 도토리들이 키를 재 보았자 별 차이가 없다는 뜻으로 정도가 고만고만한 사람끼리 서로 다툼을 이르는 말.

천양지차

하늘과 땅 사이와 같이 엄청난 차이라는 뜻으로 다름의 정도가 매우 큰 경우를 뜻함.

정답 막상막하

1 다음 낱말의 뜻을 알맞게 이으시오.

(1) 우월하다 ・

(2) 초월하다 ・

・① 다른 것보다 낫다.

・② 어떠한 한계나 표준을 뛰어넘다.

2 다음 밑줄 그은 낱말을 잘못 사용한 문장에 ×표 하시오.

(1) 형은 나보다 영어 실력이 <u>초월하다</u>. (   )

(2) 이 책은 시간과 공간을 <u>초월한</u> 사랑 이야기이다. (   )

(3) 부자라고 해서 가난한 사람보다 <u>우월하다고</u> 할 수는 없다. (   )

(4) 자신의 <u>우월한</u> 지위를 이용하여 남을 괴롭혀서는 안 된다. (   )

3 ㉠과 ㉡에 들어갈 말을 보기 에서 찾아 쓰시오.

> **보기**
>
> 견주어   겨루어   비등비등   천차만별

누가 제일 빠른지
(㉠) 보자.

차이가 별로 없이
(㉡)하네.

(1) ㉠: (   )

(2) ㉡: (   )

4 다음 그림을 보고 알맞은 말에 ○표 하시오.

(1)

오른쪽 책이
(얇다 / 가늘다).

(2)

실이 밧줄보다
(얇다 / 가늘다).

5 다음 빈칸에 들어갈 사자성어는 무엇입니까? ....(   )

해법초, 힘들게 따낸 승리

해법초등학교는 17일 있었던 천재초등학교와의 경기에서 치열한 승부 끝에 힘겹게 승리했습니다.

전반 내내 [   ] 의 경기가 펼쳐졌습니다. 양 팀의 선수들이 모두 고르게 득점하며 팽팽하게 맞서다가 전반이 끝날 무렵에 터진 해법초 김민규 선수의 한 방으로 해법초가 먼저 앞서가기 시작했습니다. 그러자 천재초는 6명의 선수들이 연속으로 점수를 올리며 해법초를 금방 따라잡았습니다.

후반 시작과 함께 천재초가 앞서가는 듯했으나 해법초 선수들은 철저한 방어로 상대팀의 점수를 막고 점수를 동점으로 만들었습니다.

4쿼터 초반 해법초는 외곽슛을 연달아 성공하며 81 대 70으로 앞서가기 시작했습니다. 그러나 천재초도 마지막까지 승리의 끈을 놓지 않았습니다. 천재초는 끈질긴 추격에 나서 경기 종료 시간 3분을 남기고 역전에 성공했습니다. 막판까지 역전과 재역전을 거듭한 끝에 결국 승리는 해법초의 것이 되었습니다.

---

① 막상막하   ② 천양지차   ③ 천차만별

④ 동문서답   ⑤ 소탐대실

6 다음 속담과 바꾸어 쓸 수 있는 사자성어에 ◯표 하시오.

시험 점수 50점이나 52점이나 도토리 키 재기야.

[막상막하]   [천양지차]

7 다음 상황에 어울리는 속담은 무엇입니까? ....(   )

재호: 야! 라면 끓일 때 수프를 먼저 넣으면 어떡해? 면을 먼저 넣어야지!

재민: 무슨 소리야? 수프를 먼저 넣고 면을 넣어야지. 그래야 면에 간이 배지.

재호: 면을 먼저 넣어야 면이 쫄깃해진다고!

재민: 수프를 먼저 넣는 게 맞다니까?

엄마: 얘들아, 그게 그렇게 중요하니?

---

① 손가락도 길고 짧다   ② 콩이야 팥이야 한다

③ 콩을 팥이라 해도 곧이듣는다   ④ 콩 심은 데 콩 나고 팥 심은 데 팥 난다

⑤ 열 손가락 깨물어 안 아픈 손가락이 없다

#재해 🔍

Q. 그림과 이어지는 해시태그(#)를 보고 알맞은 어휘를 골라 ☐에 V표 하시오.

① 우박 ☐ / 서리 ☐

#재해 #얼음덩어리 #하늘에서_떨어짐
#비_아님 #눈도_아님

② 대설 ☐ / 한파 ☐

#재해 #겨울 #추위 #기온 #너무_추움
#갑자기_추워짐

③ 장마 ☐ / 호우 ☐

#재해 #비 #여름 #계속해서_비가_옴
#해님이_그리워

④ 냉해 ☐ / 고사 ☐

#재해 #여름 #기온 #저온
#햇빛_부족

정답 ① 우박 ② 한파 ③ 장마 ④ 냉해

①

우박

공기 속에 있던 큰 물방울들이 갑자기 찬 기운을 만나서 얼음덩어리가 되어 떨어지는 것.

예) 우박이 내리면 과일이나 채소가 상한다.

서리

기온이 낮아지면서 공기에 있던 수증기가 물체나 땅에 닿아 눈가루같이 얼어붙은 것. 주로 맑고 추운 날 새벽에 볼 수 있음.

Tip_
비처럼 내리는 얼음 덩어리는 우박,
이슬이 얼음처럼 언 것은 서리.

2주

---

②

대설

아주 많이 오는 눈.

예) 대설이 내려서 도로가 통제되었다.

한파

겨울철에 기온이 갑자기 내려가는 현상.

예) 겨울 한파로 난방용 기구들이 잘 팔린다.

▲ 대설이 내린 모습

---

③

장마

여름에 여러 날 동안 계속해서 비가 내리는 것이나 그 비.

예) 장마 때문에 빨래가 마르지를 않네.

호우

줄기차게 내리는 크고 많은 비. 특히 짧은 시간 동안 좁은 지역에 많은 양의 비가 집중적으로 내리는 것은 집중 호우라고 함.

---

④

냉해

여름철에 기온이 낮거나 햇빛이 부족할 때 생기는 농작물의 피해.

예) 여름 내내 냉해가 심해서 과일 농가들이 큰 피해를 입었다.

고사

나무나 풀 따위가 말라 죽음.

예) 심한 가뭄으로 농작물이 고사해 버렸다.

冷 害 찰 냉 해할 해 — 기온이 차서 입은 피해.

枯 死 마를 고 죽을 사 — 말라서 죽음.

#재해 #사자성어

Q. 그림과 이어지는 해시태그(#)를 보고 알맞은 사자성어를 골라 □에 V표 하시오.

천재지변 □ / 풍비박산 □

태풍에 해일에……. 아이고, 이게 무슨 난리냐!

#재해 #장마 #태풍 #지진 #해일 #자연_현상 #살려_주세요

천재지변

지진이나 홍수, 태풍 따위의 자연 현상으로 인한 재앙.

天	災	地	變
하늘 천	재앙 재	땅 지	변할 변

하늘의 재앙
: 장마, 가뭄, 태풍 등

땅의 움직임
: 지진, 해일 등

비슷한 뜻의 사자성어

自 然 災 害
스스로 자 그럴 연 재앙 재 해할 해

자연재해

자연 현상으로 일어나는 재해, 태풍, 가뭄, 홍수, 지진, 화산 폭발 등.

풍비박산

산산이 부서지거나 사방으로 날아 흩어짐.
주의 풍지박산(×)

風	飛	雹	散
바람 풍	날 비	우박 박	흩을 산

바람이 불어

우박이 이리저리 흩어진다

사고가 나서 트럭에 실린 짐이 풍비박산이 됐네.

정답 천재지변

Q. 그림과 이어지는 해시태그(#)를 보고 알맞은 속담을 골라 □에 V표 하시오.

가물에 콩 나듯

가뭄에는 심은 콩이 제대로 싹이 트지 못하여 드문드문 난다는 뜻으로, 어떤 일이나 물건이 어쩌다 하나씩 드문드문 있는 경우를 비유적으로 이르는 말.

가물에 콩 나듯

식물이 잘 자라지 못하는 환경   드문드문 남

맞은 문제가 가물에 콩 나듯 있네.

장마에 오이 굵듯

장마철에는 오이가 잠깐 사이에도 잘 자라듯이 좋은 기회나 환경을 만나 무럭무럭 잘 자라는 경우를 비유적으로 이르는 말.

장마에 오이 굵듯

좋은 환경   잘 자람

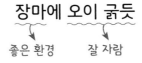

흙에 영양제를 넣어 주었더니 장마에 오이 굵듯 방울토마토가 쑥쑥 자라고 있어.

정답 가물에 콩 나듯

1 다음은 '우박'과 '서리' 중 무엇인지 쓰시오.

(   )

2 다음 빈칸에 '대설'과 '한파' 중 알맞은 말을 써넣으시오.

(1) 산간 지역에 ☐☐ 이 내려 도로를 통제하였다.

(2) 영하 십 도까지 내려가는 ☐☐ 가 계속되고 있다.

(3) ☐☐ 에 대비해서 거실에 방풍 커튼을 달았다.

3 다음 중 '호우'의 뜻으로 가장 알맞은 것은 어느 것입니까? ⋯⋯⋯⋯⋯⋯⋯⋯⋯⋯⋯⋯⋯ (   )

① 줄기차게 내리는 크고 많은 비.
② 볕이 나 있는 날 잠깐 오다가 그치는 비.
③ 몹시 세찬 바람이 불면서 쏟아지는 큰비.
④ 갑자기 세차게 쏟아지다가 곧 그치는 비.
⑤ 여름에 여러 날 동안 계속해서 내리는 비.

4 다음은 '냉해'의 뜻입니다. 첫 자음자와 뜻을 살펴보고 ❶과 ❷에 들어갈 알맞은 낱말을 쓰시오.

냉해

여름철에 ❶ⓖⓞ이 낮거나 햇빛이 부족할 때 생기는
❷ⓛⓩⓜ의 피해.

❶ⓖⓞ: 어느 곳이나 지역의 온도.
㉑ 밤이 되자 ⓖⓞ이 떨어졌다.

❷ⓛⓩⓜ: 논밭에 심어 가꾸는 곡식
이나 채소.

5 밑줄 그은 문장의 뜻으로 알맞은 것은 어느 것입니까? ⸺⸺⸺⸺⸺⸺⸺⸺⸺⸺ (   )

> "현서야, 이리 와 봐."
>
> 텔레비전을 보고 있는데 아빠가 부르셨다. 손에 족집게를 들고서 한껏 속상한 표정을 지으며 말씀하셨다.
>
> "아빠가 이제 할아버지가 다 됐나 봐. 흰머리가 너무 많은데, 현서가 좀 뽑아 줘."
>
> "저 지금은 텔레비전 봐야 해요. 제가 제일 좋아하는 가수가 나왔단 말이에요."
>
> "흰머리 한 개에 100원!"
>
> 10개만 뽑으면 1000원이다. 내가 좋아하는 젤리를 한 봉지 살 수 있는 돈! 나는 망설일 것도 없이 소파에 앉아 족집게를 받아들었다.
>
> 아빠 머리를 한번 넘겨 보니 흰머리 두 개가 나란히 있었다. 200원 획득. 그리고 또…… 귀 뒤에서 한 개.
>
> 텔레비전에서는 내가 좋아하는 가수가 나와서 노래를 하고 있지만, 지금은 젤리가 더 중요하다. 저 가수는 인터넷에 검색만 하면 언제든지 볼 수 있으니까.
>
> 집중해서 아빠 머리를 넘겨 보지만 흰머리가 별로 없었다. 지금까지 총 7개. 젤리 한 봉지를 사려면 3개를 더 뽑아야 하는데……. 까만 머리를 흰머리인 척 뽑을까 말까 고민을 하고 있는데, 내 속도 모르고 아빠가 말씀하셨다.
>
> "현서 너 계속 텔레비전만 보고 흰머리는 안 뽑을 거야?"
>
> "아니에요! 아빠 머리에 흰머리가 <u>가물에 콩 나듯</u> 있단 말이에요!"

① 흰머리가 많다.   ② 흰머리가 별로 없다.

③ 흰머리를 뽑기가 싫다.   ④ 흰머리가 꼬불꼬불하다.

⑤ 흰머리가 얼룩덜룩하다.

6 다음 속담의 뜻으로 보아 빈칸에 들어갈 알맞은 낱말은 무엇입니까? ⸺⸺⸺⸺⸺⸺⸺ (   )

속담	뜻
( )에 오이 굵듯	좋은 기회나 환경을 만나 무럭무럭 잘 자라는 경우를 비유적으로 이르는 말.

① 가뭄   ② 장마   ③ 한파

④ 대설   ⑤ 폭염

7 '풍비박산'의 뜻으로 알맞은 것에 ○표 하시오.

(1) 산산이 부서지거나 사방으로 날아 흩어짐. (   )

(2) 지진이나 홍수, 태풍 따위의 자연 현상으로 인한 재앙. (   )

1 다음 빈칸에 들어갈 알맞은 말은 무엇입니까?
·····································( )

> 남주는 반장이 되면 교실에 칭찬 우체통을 만들겠다는 [   ]을 말하였다.

① 공약   ② 쟁점
③ 해설   ④ 논쟁
⑤ 반박

2 다음 밑줄 그은 관용어가 알맞지 않은 것에 ×표 하시오.

(1) 재호는 <u>귀가 얇아서</u> 금방 설득당한다.
( )

(2) 수정이는 반드시 달리기에서 1등을 하겠다고 주먹을 불끈 쥐었다. ( )

(3) 민수는 멀리서 들리는 소리를 잘 알아들을 수 있을 만큼 <u>귀가 얇다</u>. ( )

3 다음 속담의 뜻으로 알맞은 것은 어느 것입니까?·····································( )

> 말은 해야 맛이고 고기는 씹어야 맛이다

① 마땅히 할 말은 해야 한다.
② 항상 말 조심을 해야 한다.
③ 남의 흉을 보아서는 안 된다.
④ 말만 잘하면 어려운 일도 해결할 수 있다.
⑤ 잘못이 명백히 드러나 변명의 여지가 없다.

4 다음 뜻풀이를 보고 십자말풀이를 완성하시오.

↓세로 열쇠 ①
어떤 잘못이나 실수에 대하여 구실을 대며 그 까닭을 말함.
예 약속에 늦은 동우는 ○○만 늘어놓았다.

→가로 열쇠 ②
어떤 일이나 대상의 내용을 상대편이 잘 알 수 있도록 밝혀 말함.
예 잘 모르는 문제를 민혁이가 ○○해 주었다.

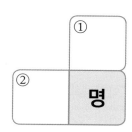

5 지희의 말에서 ㉠과 ㉡에 들어갈 낱말은 무엇인지 첫 자음자를 참고하여 쓰시오.

(㉠)가 없으면 우리는 살 수 없어. 숨을 쉬는 데에는 (㉡)가 꼭 필요하거든.

지희

(1) ㉠ ㄱ ㄱ : ( )
(2) ㉡ ㅅ ㅅ : ( )

6 ㉠과 ㉡에 들어갈 말이 알맞게 짝 지어진 것은 어느 것입니까?·····················(   )

> 작은 구멍에도 센 바람이 들어온다는 뜻의 속담은 ' ㉠ 구멍으로 ㉡ 바람 들어온다'이다.

	㉠	㉡
①	굴뚝	비
②	동굴	박쥐
③	쥐	말
④	바늘	황소
⑤	동전	호랑이

7 (   ) 안의 낱말 중 알맞은 말에 ○표 하시오.

(1)

누구 키가 더 큰지 (견주어 / 겨루어) 보다.

(2)

누가 이기나 (견주어 / 겨루어) 보다.

8 사자성어의 뜻을 알맞게 이으시오.

(1) 막상막하 ·

· ① 하늘과 땅 사이와 같이 엄청난 차이.

(2) 천양지차 ·

· ② 더 낫고 더 못함의 차이가 거의 없음.

9 글자를 골라 빈칸에 들어갈 알맞은 말을 쓰시오.

> 한참 동안 비가 오지 않아서 나무들이 ○○할 상황이 되었다.

(   )

10 다음 속담을 쓸 수 있는 상황으로 알맞은 것은 어느 것입니까?·····················(   )

> 가물에 콩 나듯

① 물건이 아주 잘 팔릴 때
② 기르는 식물이 잘 자랄 때
③ 어떤 사람이 인기가 많을 때
④ 강아지가 밥을 많이 먹을 때
⑤ 가게에 손님이 아주 가끔 들어올 때

관용어 플러스

판에 박다

2주 특강 사고 쑥쑥

1 다음 우주 여행에서 각 문제에 알맞은 낱말을 고르면서 길을 따라가 여행의 최종 목적지에 ◯표 하세요.

강한 인상을 주어 마음을 사로잡을 수 있는 힘은?

호소력　　집중력

어떤 문제에 대해 찬성과 반대의 의견을 말하며 논의하는 것은?

토의　　토론

공기의 무게 때문에 나타나는 압력은?

기압　　기류

물체의 지름이 보통의 경우에 미치지 못하고 짧은 것은?

얇다　　가늘다

2 다음 뜻을 가진 속담은 무엇인지 사다리를 타고 내려가 보기 에서 찾아 쓰세요.

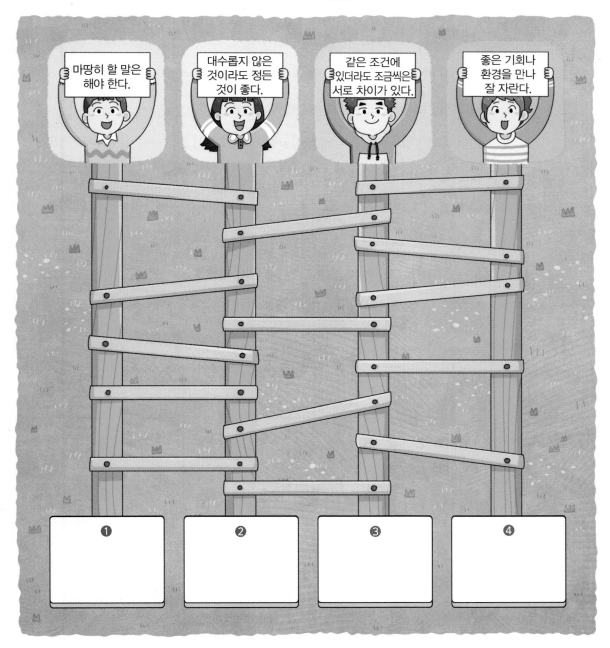

보기

말은 해야 맛이고 고기는 씹어야 맛이다
제 집 연기는 남의 집 연기보다 낫다
손가락도 길고 짧다
장마에 오이 굵듯

1 다음에서 밑줄 그은 낱말이 바르게 쓰인 문장의 번호를 찾아 네모 칸을 색칠하여 그림을 완성하세요.

① 축구 경기에서 우리 팀이 이기기를 <u>간절히</u> 바랐다.

② 말다툼을 할 때 희재는 계속 <u>말귀</u>를 잡고 늘어졌다.

③ 친구의 <u>변명</u>만으로는 문제의 답이 이해되지 않아서 선생님께 질문하기로 했다.

④ 높은 산에서는 <u>기압</u>이 낮아서 숨쉬기가 힘들어진다.

⑤ 이 책이 저 책보다 <u>가늘다</u>.

⑥ 같은 요리를 하더라도 만드는 사람마다 맛은 <u>천차만별하다</u>.

⑦ 나는 친구와 누가 빨리 달리는지를 <u>겨루었다</u>.

⑧ 하늘에서 <u>냉해</u>가 떨어져서 과일이 다 상했다.

2	5	8	3	2	5	3
8	4	5	2	8	6	8
7	5	1	3	7	2	1
2	3	5	8	5	3	5
4	8	2	5	3	2	4
5	7	3	8	5	6	3
2	8	1	6	7	2	5

2 코딩을 하여 버리가 ❶~❹의 뜻에 알맞은 사자성어가 있는 칸에 순서대로 도착하게 하려고 합니다. 코딩을 바르게 한 것에 ○표 하세요.

[문제]
❶ 한 번에 보고 대번에 알 수 있을 만큼 분명하고 뚜렷하다.
❷ 어리석은 질문에 대한 현명한 대답.
❸ 수준이나 실력이 비슷하여 차이가 거의 없다.
❹ 산산이 부서지거나 사방으로 날아 흩어짐.

[코딩 명령어]

↓ 아래로 한 칸 이동   ↑ 위로 한 칸 이동

← 왼쪽으로 한 칸 이동   → 오른쪽으로 한 칸 이동

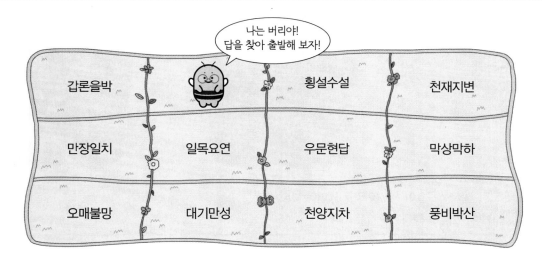

(1) → → ↓ → ← → ↓   (   )

(2) ↓ → → → → → ↓   (   )

(3) ↓ → ↓ → ← → ↑   (   )

3주 3주에는 무엇을 공부할까? ①

1일 국어 > 표현

관점 / 논점
반어 / 반의
참신하다 /
식상하다
인용 / 출처

속담 보기 좋은 떡이 먹기도 좋다 / 말 안 하면 귀신도 모른다
한자어 사족 / 모순

2일 생활 > 단위

쌈 / 필
사리 / 꾸러미
채 / 척
톨 / 벌

속담 내 코가 석 자 / 구슬이 서 말이라도 꿰어야 보배
관용어 한 치 앞을 못 보다 / 수가 달리다

3일 과학 > 빛

볼록 렌즈 / 오목 렌즈
반사 / 굴절
투시 / 투명
현미경 / 망원경

속담 옥석도 닦아야 빛이 난다 / 굽은 지팡이는 그림자도 굽어 비친다
관용어 색안경을 쓰다 / 제 눈에 안경

4일 생활 > 문화

활성화 / 현대화
방식 / 방안
공유 / 향유
지양 / 지향

속담 군자도 시속을 따른다 / 열흘 굶어 군자 없다

사자성어 온고지신 / 사대주의

5일 사회 > 세계

대륙 / 대양
위도 / 경도
북반구 / 남반구
본초 자오선 /
날짜 변경선

속담 어제 다르고 오늘 다르다 / 세상은 넓고도 좁다

관용어 세상을 등지다 / 세상에 서다

 **명언 플러스** 다만 한 권의 책이라도 제대로 읽고 이해하는 것이 중요하다

이황 선생님이 중요하게
생각한 것은 무엇일까?

지양
―――
지향

*지양은 하지 않는 것, 지향은 그 쪽으로 나아가는 것

좋은 것은 '지양'하는 걸까 '지향'하는 걸까?

1 다음 중 하지 말아야 할 것에는 '지양'을, 권하고 해야 할 것에는 '지향'을 써넣으시오.

(1) 산에서 나뭇가지 꺾기 ( )

(2) 친구를 믿음으로 대하기 ( )

(3) 공공장소에서 큰 소리로 떠들기 ( )

반사
―――
굴절

*반사는 방향이 반대로 바뀌는 것, 굴절은 휘어서 꺾이는 것

'반사'와 '굴절'의 방향은 어떻게 다를까?

2 다음 화살표의 방향 중 '반사'가 가장 어울리는 것은? ( )

①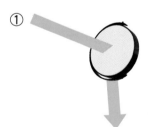

②

③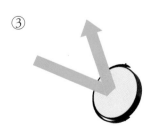

④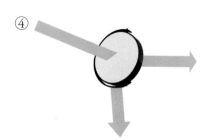

사족

모순

'사족'과 '모순'은 어떤 때에 쓰는 말일까?

3 다음과 같이 말 자체에 잘못이 있는 것은 '사족'과 '모순' 중 무엇에 해당할까?

> "그 물건을 훔친 것은 내가 맞지만 나는 도둑이 아닙니다."

(   )

*군더더기는 사족, 앞뒤가 안 맞는 것은 모순

제 눈에 안경

왜 '제 눈에 안경'이라고 하였을까?

4 다음 그림에서 친구가 '제 눈에 안경'을 통해 하고 싶었던 말은?

(   )

① "자기 분수는 모르고 남의 탓만 한다더니……."

② "제 마음에 들면 뭐든지 좋게 보인다고 하더니……."

③ "작은 것만 보고 정말 큰 것은 볼 줄 모른다더니……."

*보잘것없어도 제 마음에 들면 좋게 보인다는 말

#표현 🔍

Q. 그림과 이어지는 해시태그(#)를 보고 알맞은 어휘를 골라 □에 V표 하시오.

① 🐰 관점 □ / 논점 □ ···

재들은 세상을 보는 ○○이 참 달라.

난 즐겁게 쓰고 싶어!

즐겁기만 하면 뭐해!

♡ ◯ ✈ 🔖

#표현 #생각 #시선 #생각의_태도 #방향
#○○에_따라 #생각이_다르지

② 🐰 반어 □ / 반의 □ ···

어때? 내 춤 멋지지 않아?

그래, 아아아주 아주 멋지네~

오~ 반대로 말하는 ○○적 표현~

♡ ◯ ✈ 🔖

#표현 #표현_방법 #반대로_강조 #잘_
났다고_해서 #칭찬으로_들리니?

③ 🐰 참신하다 □ / 식상하다 □ ···

Disco!! 둠칫

둠칫

재 춤은 변한 게 없어!

작년이랑 똑같아.

♡ ◯ ✈ 🔖

#표현 #예전_그대로 #변함없음 #발전
이_없어요 #지루해

④ 🐰 인용 □ / 출처 □ ···

이 춤이 요새 유행하는 마쿠라당 춤이야!

실룩

실룩

실룩

어디서 가져온 건지 ○○는 밝히고 추라고!

♡ ◯ ✈ 🔖

#표현 #나온 곳 #저작권 #근거 #어디
서_가져왔더라?

정답 ① 관점 ② 반어 ③ 식상하다 ④ 출처

①

관점
___
논점

사물이나 현상을 관찰할 때 그 사람이 보고 생각하는 태도
나 방향, 또는 처지.

⒠ 작품을 읽는 관 점 에 따라 주제가 다를 수 있다.

어떤 문제에 대하여 논의하는 과정에서 중심이 되는 문제점.

⒠ 논 점 에서 벗어난 발언은 삼가 주세요.

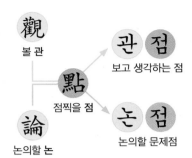

②

반어
___
반의

표현의 효과를 높이기 위해서 실제와 반대되는 뜻의 말을
하는 것.

⒠ 못난 사람을 보고 '잘났어.'라고, 반 어 로 말하기
도 한다.

반대되는 뜻. 또는 뜻이 반대됨.

⒠ '틀리다'와 반 의 관계에 있는 말은 '맞다'이다.

Tip_
반어적 표현이란 본뜻과 반대로
말하여 표현의 효과를 높이는 것.

너 참,
잘났다!

▲ 반어적 표현

③

**참신
하다**
___
**식상
하다**

새롭고 산뜻하다.

⒠ 이번 그림 대회에는 참 신 한 작품들이 많이
나왔습니다.

같은 일이 되풀이되어 싫증이 나다.

⒠ 장기자랑 대회에서 노래를 부르는 것은
너무 식 상 하 다.

또 노래야?
식상해!

④

인용
___
출처

남의 말이나 글을 자신의 말이나 글 속에 끌어 씀.

⒠ 옛 성현의 말씀을 인 용 하여 말하자면……

사물이나 말 따위가 생기거나 나온 근거.

⒠ 인용한 문장의 출 처 가 어떤 작품인지 반드시
밝혀야 합니다.

Tip_
인용은 어떤 표현을 빌려
쓰는 것, 출처는 빌려 쓴
표현이 원래 있던 곳.

남의 글을 인용할 때는
반드시 출처를 밝혀야
한다.

3
주

#표현 #속담

Q. 그림과 이어지는 해시태그(#)를 보고 알맞은 속담을 골라 □에 V표 하시오.

보기 좋은 떡이 먹기도 좋다 □ / 말 안 하면 귀신도 모른다 □

배 고프지 않니?

뭐 안 먹어도 되겠어?

저도 배 고파요! 왜 말씀 안 했어요?

네가 말이 없는데 어찌 알겠니?

......

......

#표현 #네_생각은? #입_닫으면 #누가_알아 #답답해 #말은 #해야_맛이지

보기 좋은 떡이 먹기도 좋다

내용이 좋으면 겉모양도 좋음을 비유적으로 이르는 말. 겉모양을 잘 꾸미는 것도 필요하다는 뜻.

보기 좋은 떡이 먹기도 좋다

겉모양이 훌륭한 것이

그 내용이나 쓰임도 훌륭하다.

보기 좋은 떡이 먹기도 좋다잖아. 이왕이면 예쁘게 만들어야 맛도 좋지.

말 안 하면 귀신도 모른다

마음속으로 애만 태우고 답답하게 있을 것이 아니라 무엇이든 시원스럽게 말로 표현해야 한다는 말.

말 안 하면 귀신도 모른다

말로 표현하지 않으면

그 누구도

알 수 없다

도대체 불만이 뭐야? 말 안 하면 귀신도 모른다는데 답답해 죽겠네.

......

......

정답 말 안 하면 귀신도 모른다

Q. 그림과 이어지는 해시태그(#)를 보고 알맞은 한자어를 골라 ☐에 V표 하시오.

🐰 사족 ☐ / 모순 ☐

#표현 #이상해 #앞뒤가_안맞아 #모두_막는_방패 #모두_뚫는_창 #결과는??

사족	모순
뱀을 다 그리고 나서 있지도 아니한 발을 덧붙여 그려 넣는다는 뜻으로, 쓸데없는 군짓을 하여 도리어 일을 망치는 것을 이르는 말.	'창과 방패'라는 뜻의 한자어로 어떤 사실의 앞뒤, 또는 두 사실이 이치상 어긋나서 서로 맞지 않음을 이르는 말.

蛇 足
뱀 사　발 족
↓　　↓
뱀의　발

矛 盾
창 모　방패 순
↓　　↓
창과　방패

▲ 사족

▲ 모순

정답 모순

1 빈칸에 들어갈 알맞은 말을 보기 에서 골라 쓰시오.

보기

관점   논점   반어   반의

(1) 살면서 무엇을 중요하게 여기는지는 세상을 보는 ☐☐ 에 따라 차이가 있다.

(2) "잘했다, 참 잘했다."와 같이 반대로 말하는 표현을 ☐☐ 적 표현이라고 한다.

(3) 인종 차별에 대한 회의에서 남녀 차별에 대해 언급하는 것은 ☐☐ 에 맞지 않습니다.

(4) '다르다'를 써야 할 때 '틀리다'를 쓰는 것은 낱말의 ☐☐ 관계를 잘못 이해한 까닭이다.

2 다음 낱말의 의미와 관계가 먼 낱말 하나를 찾아 ○표 하시오.

(1) 참신하다 ──

새롭다   신선하다
산뜻하다   기발하다
참가하다

(2) 식상하다 ──

놀랍다   똑같다
지루하다   고루하다
평범하다

3 다음 중 밑줄 그은 '인용'이 어색한 문장은 어느 것입니까? ·······( )

① 전문가의 의견을 인용하여 내 주장의 신뢰성을 높일 수 있다.

② 정훈이가 지은 이야기는 전래동화에서 인용한 사건이 많은 것 같다.

③ 이순신 장군의 말씀을 인용하자면 죽고자 하면 살 것이라고 하였습니다.

④ 적절한 인용은 표현의 효과를 높이지만 너무 많을 경우 창의성이 떨어질 수 있다.

⑤ 자료와 함께 발표를 할 때에는 해당 자료를 어디에서 가져왔는지 인용을 밝혀야 한다.

4 다음 중 반어적 표현이 쓰인 문장은 어느 것입니까? ·······( )

① 앵두 같은 입술, 별빛 같은 눈동자

② 내 마음은 호수요 그대 노 저어 오오

③ 방 안의 촛불은 그리움에 눈물을 흘린다.

④ 집 안을 이렇게 어질러 놓다니 정말 잘했구나, 잘했어!

⑤ 전쟁이 그치지 않던 이 땅에 마침내 비둘기가 날아오르다.

[5~6] 다음 글을 읽고 물음에 답하시오.

옛날 중국에 하인들이 일을 끝내고 품삯으로 주인집에서 술을 받아왔다. 사람은 여럿인데 술은 한 병뿐이었다. 그러자 누군가가 제안을 했다.

"여럿이 나누어 먹으면 괜히 입맛만 버릴 것 같으니 내기를 해서 이긴 사람에게 다 주는 게 어떻습니까?"

다른 이들이 모두 괜찮다고 하였다.

어떤 내기를 할 것인가가 문제였는데, 글을 모르는 사람도 있었던 터라 그림을 그리기로 했다. 가장 먼저 뱀을 완성한 사람이 술을 다 마시는 내기였다.

하인들은 열심히 뱀을 그렸다. 대충 그려도 안 되고 누가 봐도 뱀이어야 하는 그림이었다. 얼마 후 한 사람이 그림을 내놓으며 술병을 들었다.

"자, 내가 먼저 그렸으니 말한 대로 이 술은 내 것이네요. 잘 마시겠습니다."

그가 술병을 입에 대려는 순간 다른 한 사람이 뱀 그림을 내보이며 술병을 낚아챘다.

"미안하지만 내가 먼저 그렸습니다. 당신이 그린 뱀은 발이 달렸지 않습니까? 세상에 발 달린 뱀이 어디 있나요? 그러니 뱀을 가장 먼저 그린 것은 나입니다."

결국 쓸데없이 뱀에 발을 그려 넣은 사람은 입맛만 다시고 말았다.

'뱀의 발'을 뜻하는 사족(蛇足)은 '화사첨족', 즉 '뱀 그림에 발을 덧붙이다.'라는 말이다. 그래서 사족은 [   ]을 하여 오히려 일을 망치는 경우를 이른다.

5 윗글의 빈칸에 들어갈 말로 가장 알맞은 것은 어느 것입니까? ·············· (　　)

① 남을 시기하는 짓　　　　　　② 아니 해도 좋을 쓸데없는 짓

③ 하기 싫은 행동만 골라 하는 짓　　④ 분수에 맞지 않게 욕심을 부리는 짓

⑤ 모르는 것을 아는 듯이 잘난 체하는 짓

6 다음 중 윗글에서 설명한 '사족'에 해당하는 것은 어느 것입니까? ·············· (　　)

① 용 그림의 눈

② 사자 얼굴의 갈기

③ 상대에게 용기를 주는 말

④ 필요하지 않은 군더더기 말

⑤ 다른 모든 이가 반대하는 의견

7 '보기 좋은 떡이 먹기도 좋다'라는 속담은 무엇의 중요성을 강조하는 말입니까? ·············· (　　)

① 마음　　　　　　② 진실　　　　　　③ 용기

④ 겉모습　　　　　⑤ 먹거리

#단위

Q. 그림과 이어지는 해시태그(#)를 보고 알맞은 어휘를 골라 □에 V표 하시오.

① 쌈 □ / 필 □

바늘을 묶어서 세는 단위는?

도전! 삘!삘!삐!

#단위 #바늘 #바늘_24개를_납작하게 #뭉치는_바늘쌈

② 사리 □ / 꾸러미 □

국수 뭉치를 세는 단위는?

도전! 삘!삘!삐!

#단위 #국수 #뭉치 #둥글게_돌돌_말아 _볼까?

③ 채 □ / 척 □

배를 세는 단위는?

도전! 삘!삘!삐!

#단위 #배 #이순신_장군은_명량_대첩 _때_배가_얼마나_있었지?

④ 톨 □ / 벌 □

옷을 세는 단위는?

도전! 삘!삘!삐!

#단위 #옷 #오직_한_벌의_옷은_'단벌'

정답 ① 쌈 ② 사리 ③ 척 ④ 벌

① 쌈 / 필

바늘을 묶어 세는 단위.
바늘 한 쌈 = 바늘 24개
예 바늘 두 쌈을 달라고 말하면 바늘 48개를 주렴.

일정한 길이로 말아 놓은 천을 세는 단위.
유의어 끝
예 옛날에는 비단 한 필의 값이 비쌌다.

② 사리 / 꾸러미

국수, 실 따위의 뭉치를 세는 단위. 또는 국수, 실 따위를 동그랗게 포개어 감은 뭉치.
예 배가 고파서 국수 한 사리를 더 먹었다.

꾸리어 싼 물건을 세는 단위. 또는 달걀 10개를 묶어서 세는 단위.
예 이삿짐이 열 꾸러미가 넘는다.

▲ 여러 개의 국수 사리

③ 채 / 척

집을 세는 단위. 큰 기구나 가구, 이불, 인삼을 묶어서 세는 단위.
예 한옥 마을에는 기와집 여러 채가 있다.

배를 세는 단위.
예 배 한 척이 떠 있다.

▲ 배 한 척

④ 톨 / 벌

밤이나 곡식의 낱알을 세는 단위.
예 밥 한 톨 남기지 말고 먹으렴.

옷을 세는 단위. 옷이나 그릇 따위가 두 개 또는 여러 개 모여 갖추는 덩어리를 세는 단위.
예 잠옷 한 벌을 샀다.

▲ 밤송이 안에 들어 있는 밤 세 톨

#단위 #속담

Q. 그림과 이어지는 해시태그(#)를 보고 알맞은 속담을 골라 □에 V표 하시오.

🐰 내 코가 석 자 □ / 구슬이 서 말이라도 꿰어야 보배 □

#단위 #속담 #바빠 #해결해야_할_문제 #남을_도울_수_없어 #내가_더_급하다고

내 코가 석 자

내 사정이 급해서 남을 돌볼 여유가 없음을 뜻하는 말. 여기에서 '코'는 '콧물'을 뜻하고, '자'는 길이의 단위로 약 30.3센티미터임.

내 코가 석 자

내 콧물이 길게 흘렀는데도
닦을 시간이 없다

 학급 문고 정리하려고 하는데
좀 도와줄래?

나도 체육 시간에 쓴 도구 정리해야 해.
내 코가 석 자야.

구슬이 서 말이라도 꿰어야 보배

아무리 훌륭하고 좋은 것이라도 다듬고 정리하여 쓸모 있게 만들어 놓아야 값어치가 있음을 비유적으로 이르는 말.

구슬이 서 말이라도 꿰어야 보배

아무리 좋은 것이
많아도

다듬어 놓아야
값어치가 있다

비슷한 뜻의 속담으로
"진주가 열 그릇이나 꿰어야 구슬",
"솥 속의 콩도 쪄야 익지"가 있어.

정답 내 코가 석 자

#단위 #관용어 🔍

Q. 그림과 이어지는 해시태그(#)를 보고 알맞은 관용어를 골라 ☐에 V표 하시오.

한 치 앞을 못 보다 ☐ / 수가 달리다 ☐

한 치 앞을 못 보다

시력이 좋지 못하여 가까이 있는 것도 보지 못한다는 말. 또는 어떤 상황에 대한 바른 생각이나 판단을 하는 능력 수준이 낮거나 정도가 약하다라는 뜻.

한 치 앞을 못 보다

가까이 있는
것도 보지 못하다

'치'는 길이의 단위로 약 3센티미터 정도야. 3센티미터 앞도 보지 못한다는 뜻이니까 시력이 아주 나쁘거나 상황 판단 능력이 좋지 못하다는 뜻이지.

수가 달리다

말이나 행동에서 상대편에게 약점을 잡히거나 상대편보다 못하다라는 말. '달리다'는 '재물이나 기술, 힘 따위가 모자라다'라는 뜻임.

수가 달리다

기술이나   모자라다
힘이

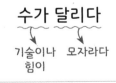

'수'는 '바둑이나 장기 따위를 두는 기술'이나 '바둑이나 장기 따위에서, 한 번씩 번갈아 두는 횟수를 세는 단위'야.

정답 한 치 앞을 못 보다

1 ( ) 안에 알맞은 낱말을 보기 에서 찾아 쓰시오.

보기
| 벌 | 쌈 | 척 | 사리 |

(1) 조선소에서 배 한 ( )을 만들었다.

(2) 배가 고파서 국수 두 ( )를 먹었다.

(3) 바늘을 한 ( )씩이나 사서 무엇을 하려고?

(4) 할아버지께서는 두루마기 한 ( )을 새로 갖추셨다.

2 다음을 세는 단위로 알맞은 말을 쓰시오.

▲ 집

▲ 가마

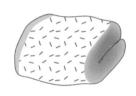
▲ 이불

3 다음 빈칸에 들어갈 말로 알맞은 것은 무엇입니까? ( )

· 밤송이 하나에 밤이 세 ☐ 이나 들어 있다.

· 농부는 볍씨 한 ☐ 이라도 소중하게 생각한다.

① 접   ② 손   ③ 톨   ④ 단   ⑤ 발

4 다음 밑줄 그은 낱말이 어색한 것은 무엇입니까? ( )

① 새로 산 옷 한 벌인데, 어떠니?

② 달걀 한 꾸러미는 달걀 열 개이다.

③ 어머니께서 인삼 한 채를 사 오셨다.

④ 비단 한 톳으로 고운 한복을 만들었다.

⑤ 스웨터를 하나 뜨려면 실이 서너 사리 정도 필요하다.

5 다음 글의 빈칸에 알맞은 속담은 무엇입니까? ·· (   )

경제적으로 힘든 상황에서도 더 힘든 이웃들에게 나눔의 손길을 내민 착한 이웃들이 있다. 최근 ○○ 지역의 중소기업 대표들이 모여서 경영 위기를 극복하기 위한 회의를 가졌다. 그런데 회의 도중에 지역의 노인들과 아동들이 더 힘든 상황에 처해 있다는 것을 알았다. 회의에 참여한 대표들은 십시일반으로 후원금을 마련하였다. 그리고 회사에서 판매하는 제품을 자선 경매로 내놓아 수익금을 마련하고 회사 임직원들을 대상으로 모금 활동을 벌였다. 이렇게 모아진 돈은 지역 복지관과 어린이 재단을 통해 무료 음식점 운영, 도시락 전달, 주거 환경 개선 등의 사업에 사용될 예정이다.

이러한 나눔의 손길에 참여한 한 대표는 이렇게 말했다.

"최근 악화된 경제 상황으로 매출이 무척 줄었습니다. 사실 직원들 월급 주는 것과 공장 임대료를 내기에도 버거운 형편이에요. 하하, [   ]인 셈이죠. 그렇지만 저도 어려운 시절을 겪어 보았고 저보다 더 어려운 형편에 계신 분들을 위해 나눔 활동에 참여하기로 했어요. 제 뜻을 이해하고 같이 해 준 직원들에게 이 자리를 통해 감사의 말을 전하고 싶습니다."

① 내 코가 석 자
② 우물 안 개구리
③ 굼벵이도 구르는 재주가 있다
④ 서당개 삼 년에 풍월 읊는다
⑤ 구슬이 서 말이라도 꿰어야 보배

6 다음 대화에서 알맞은 속담에 ○표 하시오.

아들: 신선한 해산물이 잔뜩 있네요. 오늘 저녁이 기대되는데요?
엄마: (1) "구슬이 서 말이라도 꿰어야 보배" (   )
　　　 (2) "벼 이삭은 익을수록 고개를 숙인다" (   )
라고 하잖아. 이 엄마의 실력이 발휘되지 않으면 아무리 재료가 좋아도 맛있는 요리는 나올 수 없어.

7 다음 관용어와 관련 있는 설명을 알맞게 이으시오.

(1) 수가 달리다 ·

· ① 말이나 행동에서 상대편에게 약점을 잡히거나 상대편보다 못하다.

(2) 한 치 앞을 못 보다 ·

· ② 어떤 상황에 대한 바른 생각이나 판단을 하는 능력 수준이 낮거나 정도가 약하다.

#빛 #렌즈

Q. 그림과 이어지는 해시태그(#)를 보고 알맞은 어휘를 골라 □에 V표 하시오.

① 볼록 렌즈 □ / 오목 렌즈 □ ···

#빛 #렌즈 #모양 #볼록함
#가운데가_두꺼움

② 반사 □ / 굴절 □ ···

#빛 #렌즈 #거울 #빛이_되돌아나옴
#눈_부셔

③ 투시 □ / 투명 □ ···

#빛 #렌즈 #꿰뚫어_봄
#내_눈에는_다_보여

④ 현미경 □ / 망원경 □ ···

#빛 #렌즈 #기구 #확대 #관찰
#눈으로_안_보이는_것도_볼_수_있음

정답 ① 볼록 렌즈 ② 반사 ③ 투시 ④ 현미경

1

**볼록
렌즈**

가운데 부분이 가장자리보다 두꺼운 렌즈.
볼록 렌즈로 물체를 보면 가까이 있는 물체는 크게 똑바로
보이고, 멀리 있는 물체는 상하좌우가 바뀌어 보임.

▲ 볼록 렌즈

**오목
렌즈**

가운데가 얇고 가장자리로 갈수록 두꺼워지는 렌즈.
오목 렌즈로 물체를 보면 물체가 작게 똑바로 보임.

▲ 오목 렌즈

2

반사

빛 등이 나아가다 어떤 물체에 부딪쳐 진행 방향이 꺾여 되돌아
나오는 현상.

▲ 빛의 반사

굴절

빛 등이 나아가다 어떤 물체에 부딪쳤을 때 경계면에서 그 방향이
꺾이는 현상.

▲ 빛의 굴절

3

투시

막힌 물체의 속을 환히 꿰뚫어 봄.
예 짝은 가방 속을 투시할 수 있다며 가방을 뚫
어지게 쳐다보았다.

투명

속까지 환히 들여다보일 정도로 맑음. 반의어 불투명
예 시냇물은 바닥에 있는 자갈이 보일 정도로
투명했다.

視
볼 시
→ 꿰뚫어 봄.

透
꿰뚫을 투

明
밝을 명
→ 꿰뚫어 보일 만큼
맑음.

4

현미경

아주 작은 물체를 크게 확대하여 보는 기구.

◀ 현미경
: 세포와 같이 아주
작은 것을 관찰할
때 쓰임.

망원경

멀리 있는 물체를 크고 정확하게 볼 수 있도록
만든 기구.

◀ 망원경
: 별과 같이 멀리 있
는 것을 관찰할 때
쓰임.

#빛 #렌즈 #속담

Q. 그림과 이어지는 해시태그(#)를 보고 알맞은 속담을 골라 □에 V표 하시오.

옥석도 닦아야 빛이 난다 □ / 굽은 지팡이는 그림자도 굽어 비친다 □

#빛 #소질 #능력 #계발 #노력은_필수 #아무것도_안_하면_소용없음

옥석도 닦아야 빛이 난다

아무리 소질이 좋아도 이것을 잘 닦고 기르지 아니하면 훌륭한 것이 되지 못한다는 말.

> 옥석도 닦아야 빛이 난다
> 소질이 있는 것 / 노력해야 / 훌륭해진다

비슷한 뜻의 속담

구슬이 서 말이라도 꿰어야 보배 [104쪽 참고]

구슬이 많아도 알알이 흩어져 굴러다니면 쓸모가 없고 꿰어서 목걸이나 반지로 만들어야 가치가 있다는 뜻으로, 아무리 좋은 것이라도 쓸모 있게 만들어 놓아야 값어치가 있다는 말.

굽은 지팡이는 그림자도 굽어 비친다

제 본디의 모습이 좋지 아니한 것은 아무리 하여도 숨기지 못함을 비유적으로 이르는 말.

> 굽은 지팡이는 그림자도 굽어 비친다
> 원래 모습이 나쁜 것 / 감추려 해도 / 감추지 못한다

그림자는 마음대로 바꿀 수 없지.

정답 옥석도 닦아야 빛이 난다

Q. 그림과 이어지는 해시태그(#)를 보고 알맞은 관용어를 골라 ☐에 V표 하시오.

🐰 색안경을 쓰다 ☐ / 제 눈에 안경 ☐

#빛 #렌즈 #안경 #자기만의_기준 #만족 #내가_좋으면_됐지

색안경을 쓰다	제 눈에 안경
좋지 않은 생각이나 감정을 가지고 상대를 대하거나 보다.	보잘것없는 물건이라도 제 마음에 들면 좋게 보인다는 말.

색안경을 쓰다
좋지 않은 생각을 가지고 → 상대를 대하다

제 눈에 안경
자기만의 기준 → 꼭 맞음. 만족함.

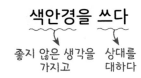

까만 색안경을 쓰고 보면

세상이 다 까맣게 보인다개!

와, 정말 잘 그렸네.

제 눈에 안경이라더니.

정답 제 눈에 안경

1 다음은 어떤 실험을 한 것인지 (   ) 안에 들어갈 알맞은 말에 ○표 하시오.

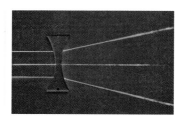

(1) (오목 / 볼록) 렌즈를 통한 빛의 (2) (굴절 / 반사)

2 다음 빈칸에 '굴절'과 '반사' 중 알맞은 말을 써넣으시오.

거울에 빛을 비추면 빛이 [ ][ ] 되어 나가는 것을 볼 수 있다.

3 다음 빈칸에 공통으로 들어갈 낱말은 '투시'와 '투명' 중 무엇인지 쓰시오.

▲ [   ]한 유리병

▲ 맑고 [   ]한 바다

(   )

4 다음 기구의 쓰임을 알맞게 이으시오.

(1) 현미경 ·

(2) 망원경 ·

· ① 행성을 관측할 때

· ② 양파 세포를 관찰할 때

5 다음 빈칸에 들어갈 표현으로 알맞은 것은 어느 것입니까? ·························(   )

> 요즘 시청자들에게 큰 사랑을 받으며 인기 있는 한 오디션 프로그램에 출연 중인 참가자 김솔이가 유명한 가수의 아들로 밝혀졌습니다. 김솔이는 그 사실을 밝히지 않은 까닭을 묻는 기자의 질문에 "제가 유명 가수의 아들이라고 밝히게 되면 사람들은 저의 실력을 직접 평가하기보다 '누구의 아들'이라는 것으로 [   ] 대하게 됩니다. 저의 실력보다는 부모님의 인기 때문에 더 좋은 평가를 받는다고 생각하는 사람이 많습니다. 제 노래를 들어 보기도 전에 말이죠."라고 대답하였습니다.
> 이 사실이 알려지기 전부터 김솔이는 오디션 프로그램 준결승에서 심사위원들에게 '노래를 해석하는 능력이 좋다.', '감정을 진솔하게 전하는 목소리를 가지고 있다.', '고음 처리가 아주 부드럽고 안정적이며 산책하는 느낌으로 편안하게 소화하는 것이 인상적이다.' 등의 좋은 평가를 받으며 결승에 진출하게 되었습니다. 시청자들의 인기를 가늠할 수 있는 전화 투표에서도 항상 상위권을 차지하고 있었습니다.
> 김솔이는 자신의 부모님이 유명 가수라는 사실이 밝혀진 이후에 "저희 아버지는 저도 가수로서 존경하는 분입니다. 하지만 그것과는 별개로 누구의 아들이라는 것보다 저 김솔이만의 실력과 매력으로 여러분에게 사랑받고 싶습니다."라고 전하며 오디션 결승에서 우승을 쟁취하겠다는 뜻을 밝혔습니다.

① 색안경을 끼고   ② 머리를 맞대고

③ 귀를 기울이고   ④ 손에 땀을 쥐고

⑤ 제 눈에 안경을 끼고

6 '제 눈에 안경'의 뜻으로 알맞은 것은 어느 것입니까? ·························(   )

① 정신을 바짝 차리고 주의를 기울인다.

② 상대편의 기분이나 생각을 알아맞힌다.

③ 좋지 않은 생각이나 감정을 가지고 대한다.

④ 낮보거나 업신여겨 쳐다보려고도 하지 않는다.

⑤ 보잘것없는 물건이라도 제 마음에 들면 좋게 보인다.

7 다음 상황에서 충고할 때 알맞은 속담에 ○표 하시오.

> 피아노 대회를 앞둔 친구가 자신의 실력만 믿고 연습을 하지 않을 때

(1) 옥석도 닦아야 빛이 난다   (   )

(2) 굽은 지팡이는 그림자도 굽어 비친다   (   )

#문화 🔍

Q. 그림과 이어지는 해시태그(#)를 보고 알맞은 어휘를 골라 ☐에 V표 하시오.

① 활성화 ☐ / 현대화 ☐

인간들은 놀이 문화가 ○○○되어 있구나.

시끌 시끌

#문화 #활발히 #널리_퍼져 #발달
#많은_사람들이_누리는

② 방식 ☐ / 방안 ☐

O.K !!!

1등에게 나만의 노는 ○○을 알려 주지.

놀이 공원에서 노는 방법?

#문화 #특별한_방법 #해_나가는_방법
#고유한_방법

③ 공유 ☐ / 향유 ☐

놀기도 전에 지쳤구나?

헉헉

내가 1등! 어서 알려 줘.

헉헉 헉헉

큭

기대해 봐. ○○해 줄 테니.

#문화 #알려_주기 #나누기 #함께_누리는
#공동으로_소유

④ 지양 ☐ / 지향 ☐

나는 공포를 ○○하지! 귀신의 집부터 들어가기!

싫어! 재밌겠다!

으윽!! ......

#문화 #특정한_방향을_유지 #선호하는
#어느_쪽으로_유지하지?

정답 ① 활성화 ② 방식 ③ 공유 ④ 지향

①
활성화

어떤 것의 기능이 활발함. 또는 그러한 기능을 활발하게 함.

예 경제 **활성화** 정책으로 무엇이 좋을까요?

活 性 化 — 활발해짐.
살 활　성품 성　될 화

___

현대화

지금 시대에 맞게 바꿈

예 오래된 마을이 점점 **현대화**되고 있다.

現 代 化 — 요즘처럼 됨.
지금 현 시대 대 될 화

___

②
방식

일정한 방법이나 형식. 동의어 법식

예 새로운 **방식**으로 라면을 끓였더니 맛이 좋다.

방 식 — 일정한 방법과 형식

___

방안

일을 처리하거나 해결하여 나갈 방법이나 계획.

유의어 방책

예 그 문제의 해결 **방안**이 잘 떠오르지 않는다.

방 안 — 어떤 문제를 풀 방법

저를 지킬 방안을 떠올려 주세요.

___

③
공유

두 사람 이상이 무엇인가를 함께 가짐.

예 저작권이 있는 영상물을 인터넷을 통해 **공유**하는 것은 불법입니다.

___

향유

누리며 가지는 것.

예 현대인들은 다양한 문화를 **향유**하고 있습니다.

Tip_
여럿이 어떤 물건 등을 함께 가지는 것이 '공유', 불특정 다수가 누리며 가지는 것은 '향유'라고 함.

예 공유 자전거
예 문화 향유

___

지 양 — 하지 않는 것
지 향 — 하려고 하는 것

④
지양

더 높은 단계로 오르기 위하여 어떠한 것을 하지 아니함.

예 살을 빼기 위해서는 과식을 **지양**해야 한다.

___

지향

어떤 목표로 뜻이 쏠리어 향함.

예 현대인들은 행복하고 즐거운 삶을 **지향**한다.

편리함을 지향!

너만 생각하는 건 지양해 줘!

#문화 #속담

Q. 그림과 이어지는 해시태그(#)를 보고 알맞은 속담을 골라 □에 V표 하시오.

군자도 시속을 따른다 □ / 열흘 굶어 군자 없다 □

#문화 #시대의_흐름_풍속 #유행 #대세 #필수템 #아직도_안_써?

군자도 시속을 따른다

어떤 사람이라도 시대적 풍습을 따라가야 한다는 뜻의 속담.

군자도 시속을 따른다

훌륭한 사람 / 시대적 풍속

너 아주 건강해졌구나?

요즘 홈트가 유행이잖아. 군자도 시속을 따라야지.

열흘 굶어 군자 없다

아무리 착한 사람이라도 몹시 궁하게 되면 못하는 짓이 없게 됨을 비유적으로 이르는 말.

열흘 굶어 군자 없다

몹시 어려운 상황 / 아무리 착한 사람도 못할 일이 없다

제가 열흘이나 굶어서……!

그래도 도둑질은 안 돼!

정답 군자도 시속을 따른다

#문화 #사자성어 🔍

Q. 그림과 이어지는 해시태그(#)를 보고 알맞은 사자성어를 골라 □에 V표 하시오.

🐰 온고지신 □ / 사대주의 □

#문화 #옛것 #우리의_것 #받아들이기 #새로운_것 #조화로움 #더_좋은_것 #옛것을_익혀_새롭게!

온고지신

옛것을 익혀서 그것을 바탕으로 새로운 것을 앎. 『논어』에서 공자가 남긴 말.

溫 따뜻할 온 故 옛 고 知 알 지 新 새로울 신

옛것을 잘 아는 상태에서 → 새로운 것을 더욱 깊이 알게 된다.

온고지신의 사례

옛것
과거의 온돌방

새로운 것
온돌 같은 보일러

사대주의

주체성이 없이 세력이 강한 나라나 사람을 받들어 섬기는 태도.

事 섬길 사 大 클 대 主 주인 주 義 옳을 의

큰 나라를 섬기는 것이 옳다는 → 생각

햄버거가 무조건 좋다는 것은 문화적 사대주의 아닐까?

저는 미국 사람인데요?

정답 온고지신

1 다음 문장의 빈칸에 들어갈 알맞은 말을 [보기]에서 골라 쓰시오.

[보기]
| 지양 | 방식 | 공유 | 지향 |

(1) 삼촌이 건강한 삶을 ☐☐ 한다며 금연을 시작했습니다.

(2) 뜻깊은 방학을 보내기 위해 게으른 태도는 ☐☐ 해야겠습니다.

(3) 친구가 운동하는 ☐☐ 을 따라 하다가 금방 지치고 말았습니다.

(4) 컴퓨터를 가족 모두가 ☐☐ 하고 있어서 사용할 시간이 부족합니다.

2 옛것을 바탕으로 새로운 것을 안다는 뜻의 사자성어는 무엇입니까?·····(   )

① 우문현답   ② 온고지신   ③ 막상막하

④ 비몽사몽   ⑤ 천재지변

3 다음 문장의 (   ) 안의 알맞은 말에 ○표 하시오.

(1) 수질 개선 (방식 / 방안)으로 여러 가지 정책들이 발표되었습니다.

(2) 서울시에서 운영하는 (공유 / 향유) 자전거를 타 보신 적이 있습니까?

(3) 전염병이 퍼지는 것을 막기 위해 잘못된 마스크 착용은 (지양 / 지향)해야 합니다.

4 다음 문장의 밑줄 그은 부분을 대신할 수 있는 낱말을 쓰시오.

> 우리 지역이 (1) 지금 시대에 맞게 발전하여 잘 살기 위해서는 대중교통이 (2) 활발히 잘 이루어지도록 발전해야 합니다. 이를 위해 우리 지역과 서울을 오가는 광역 버스를 신설할 필요가 있습니다.

(1) ☐☐☐ 되어   (2) ☐☐☐ 되어야

5 ㉠에 나타난 인물의 태도와 관련이 있는 사자성어는 무엇입니까? ······················ (   )

"할머니, 이제 보니 내방 가사가 정말 중요한 글이네요."
"그럼, 6천 편 이상 전해오는 내방 가사의 가치가 드러나니 이제는 내방 가사를 '세계 기록 유산' 으로 올리려고 하는 거지."
"우와, '세계 기록 유산'이요?"
"내방 가사는 안동을 중심으로 한 영남 지방에서 조선 시대부터 내려오던 글이지. 특히 한글을 깨친 양반가의 여인들이 즐겨 쓰고 읽던 글로 한지 두루마리에 적었단다. 이런 여성 전용 글은 세계에 그 유례가 없지. 특히 내방 가사는 여러 사람이 듣기 좋게 소리 내어 읽는 나눔이 있는 글 이란다. 글을 모르는 사람도 여러 번 듣다 보면 네 글자씩 반복되는 4·4조의 리듬에 취해서 저 절로 외우게 되지."
"정말 우리 할머니는 대단한 내방 가사를 하시네요."
"그럼. 무엇보다 중요한 건 남자들이 한문을 사용할 때 꾸준히 한글로 썼다는 사실이야. 세종 대 왕이 만드신 우수한 한글을 계속 쓰고 발전시켰다는 점이지. 한글은 세월이 흐르면서 조금씩 변 해 왔는데 그 기록이 담긴 내방 가사는 한글 변천사의 중요한 연구 자료가 된다는 거야."
"우와 정말 대단해요. 할머니."
"이런 소중한 우리 유산을 이어받을 젊은 사람이 많이 나와야 하는데 나 같은 할머니들만 내방 가사를 좋아하니 참 안타까운 일이지."
㉠"걱정하지 마세요. 할머니. 제가 있잖아요. 저는 할머니가 하는 내방 가사를 꼭 이어받아서 계속 할 거예요. 왜냐하면 내방 가사는 정말 재미있고 중요하고 또 할머니 생각이 나기 때문이에요."

① 임기응변   ② 사대주의   ③ 온고지신   ④ 송구영신   ⑤ 횡설수설

6 다음 속담의 알맞은 뜻을 선으로 이으시오.

(1) 열흘 굶어 군자 없다 •

(2) 군자도 시속을 따른다 •

• ① 마음속의 고통이 너무 심하다.

• ② 어떤 사람이라도 시대적 풍속을 따 라야 한다.

• ③ 아무리 착한 사람이라도 몹시 궁하 게 되면 못하는 짓이 없게 된다.

7 '사대주의'를 쓸 수 있는 경우로 알맞은 것의 기호를 쓰시오. ······················ (   )

㉠ 어리석은 질문을 받았음에도 지혜로운 대답을 하는 경우.
㉡ 옛것을 통해 새로운 것을 더욱 발전시키며 받아들이는 경우.
㉢ 한글을 천한 글자라고 무시하며 중국의 글자인 한자만 사용하는 경우.

#세계

Q. 그림과 이어지는 해시태그(#)를 보고 알맞은 어휘를 골라 ☐에 V표 하시오.

① 대륙 ☐ / 대양 ☐

#땅 #육지 #넓은_면적 #육대주

② 위도 ☐ / 경도 ☐

#지도 #좌표축 #세로선 #경선
#지도_위치

③ 북반구 ☐ / 남반구 ☐

#적도의_남쪽_부분 #우리나라_반대쪽

④ 본초 자오선 ☐ / 날짜 변경선 ☐

#날짜_바뀜 #대략_경도_180°선
#태평양_중앙부

정답 ① 대륙 ② 경도 ③ 남반구 ④ 날짜 변경선

①

대륙

대양

바다로 둘러싸인 크고 넓은 땅.

예 아시아, 유럽, 아프리카, 북아메리카, 남아메리카, 오세아니아의 여섯 대륙을 육대주라고 한다.

세계의 바다 가운데에서 아주 넓고 큰 바다.

예 태평양, 대서양, 인도양, 북극해, 남극해를 오대양이라고 한다.

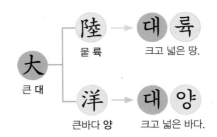

②

위도

경도

지구 위의 위치를 나타내는 좌표축 중에서 가로로 된 것.

예 우리나라를 위도상으로 보면 북위 33~43°에 위치해 있다.

지구 위의 위치를 나타내는 좌표축 중에서 세로로 된 것.

예 우리나라를 경도상으로 보면 동경 124~132°에 위치해 있다.

③

북반구

남반구

적도를 경계로 지구를 둘로 나누었을 때의 북쪽 부분.

예 우리나라는 지구의 북반구에 위치해 있다.

적도를 경계로 지구를 둘로 나누었을 때의 남쪽 부분.

예 우리나라와 남반구의 계절은 반대이다.

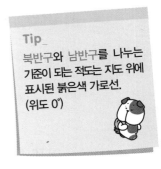

Tip_
북반구와 남반구를 나누는 기준이 되는 적도는 지도 위에 표시된 붉은색 가로선.
(위도 0°)

④

**본초
자오선**

**날짜
변경선**

지구의 경도를 결정하는 데 기준이 되는 선.(경도 0°)
영국의 그리니치 천문대를 지나는 선.

대략 경도 180°의 선을 따라 남극과 북극을 잇는 경계선. 이 선의 동쪽으로 넘어가면 하루가 늦춰지고, 서쪽으로 넘어가면 하루가 앞당겨짐.

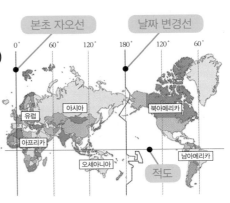

#세계 #속담

Q. 그림과 이어지는 해시태그(#)를 보고 알맞은 속담을 골라 ☐에 V표 하시오.

🐰 어제 다르고 오늘 다르다 ☐ / 세상은 넓고도 좁다 ☐

여기는 아마존! 내 평생 소원인 정글 탐험에 나선 지 이틀째!

부스럭!

샥!

샥!

너 준수 아니야?

세상에! 너를 여기서 만나다니!

♡ ○ ◁

#넓은_세상 #한편으론_좁은_세상 #아는_사람을_뜻밖의_장소에서_만남

어제 다르고 오늘 다르다

어떤 것이 달라져 변화하는 속도가 매우 빠르다는 말.

어제 다르고 오늘 다르다

어제도 달라지고

오늘도 달라질 만큼 변화가 빠르다.

콩나물이 엄청 자랐어요!

정말! 쑥쑥 크는 것이 어제 다르고 오늘 다르구나!

세상은 넓고도 좁다

멀리 떨어져 있는 곳에서 우연히 아는 사람을 만나는 경우. 또는 서로 모르는 사이지만 이리저리 따져 보면 알 만한 처지인 경우를 이르는 말.

세상은 넓고도 좁다

세상은 넓지만

아는 사람을 우연히 만날 만큼 좁기도 하다.

알고 보니 내 짝꿍 엄마가 우리 엄마랑 중학교 동창이시래.

세상은 넓고도 좁구나.

정답 세상은 넓고도 좁다

#세계 #관용어

Q. 그림과 이어지는 해시태그(#)를 보고 알맞은 관용어를 골라 ☐에 V표 하시오.

세상을 등지다 ☐ / 세상에 서다 ☐

#사람들과_어울리지_않음 #인연을_끊음 #세상을_버림 #숨어서_살아감

세상을 등지다	세상에 서다
깊은 산속 같은 데에 들어가 사회와 인연을 끊고 살다. 즉 세상 사람들과 어울리지 않고 살아가는 경우를 이르는 말.	세상에 나가 제구실을 톡톡히 해내거나 상당한 지위에 올라서는 경우를 이르는 말.

세상을 등지다

세상 사람들과 → 인연을 끊다.

세상에 서다

세상에 나가 → 상당한 지위에 오르다.

'세상을 등지다'에는 '죽다'라는 뜻도 있어.
'세상을 뜨다', '세상을 버리다',
'세상을 떠나다', '세상을 하직하다'도
모두 '죽다'라는 뜻으로 쓰이지.

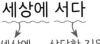

노래 좀 그만해!
너무 시끄러워.

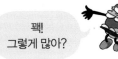
꽥!
그렇게 많아?

미안한데 좀 참아 줘.
난 내 노래 실력으로
세상에 서고 싶어.

정답 세상을 등지다

1 지구본을 보고 각 부분에 해당하는 낱말을 【보기】에서 골라 쓰시오.

> **보기**
>
> 위도   경도   대륙   대양

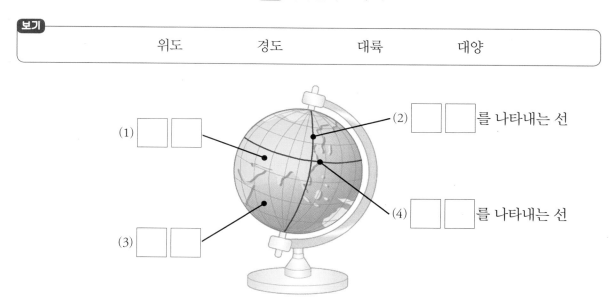

(1) ☐☐

(2) ☐☐ 를 나타내는 선

(3) ☐☐

(4) ☐☐ 를 나타내는 선

2 빈칸에 들어갈 알맞은 낱말을 차례대로 쓰시오.

> 적도를 경계로 지구를 둘로 나누었을 때, 북쪽 부분을 ☐☐☐ 라고 하고, 남쪽 부분을
>
> ☐☐☐ 라고 한다.

3 다음은 무엇에 대한 설명인지 알맞은 것의 기호를 골라 해당하는 낱말에 각각 쓰시오.

> ㉠ 이곳의 경도는 0°.
> ㉡ 이곳의 경도는 대략 180°.
> ㉢ 영국의 그리니치 천문대를 지나는 선.
> ㉣ 지구의 경도를 결정하는 데 기준이 되는 선.
> ㉤ 이 선의 동쪽으로 넘어가면 하루가 늦춰지고 서쪽으로 넘어가면 하루가 앞당겨짐.

(1) 날짜 변경선: (   )

(2) 본초 자오선: (   )

[4~5] 다음 글을 읽고 물음에 답하시오.

> "어머니, 제가 장원 급제를 했습니다! 평안 부사 김익순을 비판하는 글을 써서 장원이 됐어요!"
> 김병연은 들뜬 마음으로 달려가 어머니에게 기쁜 소식을 알렸다.
> "뭐라고? 네가?"
> 이상하게도 어머니는 기뻐하기는커녕 큰 충격을 받은 듯했다. 어머니는 깊은 한숨을 쉬며 무겁게 입을 열었다.
> "더 이상은 감출 수가 없구나. 이제는 너도 우리 가문에 대해 알아야 할 것 같다."
> 어머니가 들려준 가문의 비밀은 병연에게는 청천벽력이었다. 병연이 비판하는 글을 썼던 대상인 김익순은 바로 병연의 할아버지였던 것이다.
> 병연이 어렸을 때 평안도 부사를 지냈던 할아버지는 홍경래가 일으킨 농민 전쟁을 겪는 도중 반역죄를 지어 참형을 받았고, 그로 인해 가문이 멸망하고 말았다. 다행히도 가족들은 벌을 면하게 되자, 어머니는 집안 내력을 숨기고 자식들을 데리고 숨어 살았다.
> 어려서부터 글재주가 뛰어났던 병연은 ㉠세상에 서고자 하는 꿈을 품고 열심히 공부했다. 스무 살이 되자 고을에서 시행하는 과거를 보러 갔고, 바로 그날 운명의 장난처럼 자신의 할아버지를 신랄하게 비판하는 글을 쓴 것이다. 그는 어머니의 말을 듣고 너무나 큰 충격을 받아 방황하게 되었다. 병연은 결혼도 하고 아이도 낳았지만 끝내 마음을 잡지 못한 채 [㉡   ] 말았다.
> 그는 집을 떠나 전국 방방곡곡을 떠돌며 시를 읊었다. 누더기에 삿갓을 쓴 차림으로 서민들의 애환을 노래하고 잘못된 현실을 풍자하는 시를 쓴 그를, 사람들은 '방랑 시인 김삿갓'이라고 불렀다.

4 ㉠의 뜻으로 알맞은 것은 무엇입니까?·······································(   )

① 욕심 없이 살고자   ② 세상일을 비판하고자
③ 세상 사람들과 인연을 끊고자   ④ 세상일에 관심 없이 편히 살고자
⑤ 세상에 나가 제구실을 톡톡히 해내고자

5 글의 내용으로 보아 [㉡]에 들어갈 알맞은 말은 무엇입니까?·······(   )

① 세상 모르고   ② 세상이 바뀌고   ③ 세상을 등지고
④ 세상을 하직하고   ⑤ 세상은 넓고도 좁고

6 다음과 같은 표현이 어울리는 경우는 무엇인지 알맞은 것에 ○표 하시오.

> 어제 다르고 오늘 다르다

(1) 뜻밖의 장소에서 아는 사람을 우연히 만났을 때   (   )
(2) 어떤 것이 달라져 변화하는 속도가 매우 빠를 때   (   )
(3) 아주 재미있는 일에 정신이 팔려 시간이 가는 줄 모를 때   (   )

1 다음에서 설명하는 낱말로 알맞은 것은 무엇입니까? ·······(   )

> 표현의 효과를 높이기 위해서 실제와 반대되는 뜻의 말을 하는 것.

① 출처   ② 관점   ③ 논점
④ 인용   ⑤ 반어

2 밑줄 그은 부분에서 사용된 표현 방법으로 알맞은 것을 첫 자음자를 참고해서 쓰시오.

> 미국의 발명가 에디슨은 "성공은 열심히 노력하며 기다리는 사람에게 찾아온다." 라고 하였습니다. 이처럼 노력은 성공으로 가는 유일한 길이라고 생각합니다.

ㅇ   ㅇ

3 다음과 같은 것을 세는 단위로 알맞은 것을 쓰시오.

▲ 집

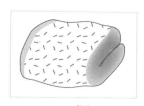
▲ 이불

(   )

4 물건을 세는 단위와 그 설명을 알맞게 이으시오.

(1) 쌈 •

(2) 척 •

(3) 필 •

(4) 톨 •

(5) 벌 •

• ① 곡식의 낱알을 세는 단위

• ② 배를 세는 단위

• ③ 바늘을 묶어 세는 단위

• ④ 옷을 세는 단위

• ⑤ 천을 세는 단위

5 빛이 나아가다가 어떤 물체에 부딪쳤을 때 방향이 꺾이는 현상을 무엇이라고 합니까? ·····(   )

① 투시   ② 발광   ③ 야광
④ 굴절   ⑤ 투명

6 다음 상황에서 ㉠에 들어갈 말로 가장 어울리는 것은 무엇입니까? ·······(　)

① 내 코가 석자야.

② 열흘 굶어 군자 없어.

③ 옥석도 닦아야 빛이 나.

④ 말 안 하면 귀신도 몰라.

⑤ 보기 좋은 떡이 먹기도 좋지.

7 보기 에서 낱말에 대한 설명이 알맞은 것을 모두 찾아 기호를 쓰시오.

보기
㉠ '방안'의 유의어에는 '법식'이 있다.
㉡ 무언가를 가지며 누리는 것을 '공유'라고 한다.
㉢ 어떤 것의 기능을 활발하게 하는 것은 '활성화'이다.
㉣ 도시가 아닌 지역이 점점 발전하여 도시처럼 되는 것을 '도시화'라고 한다.

(　)

8 다음과 같은 뜻을 가진 사자성어는 무엇입니까? ·······(　)

옛 것을 바탕으로 새로운 것을 앎.

① 온고지신　　② 사면초가

③ 일석이조　　④ 청천벽력

⑤ 박장대소

9 다음 그림을 보고, 각각의 기호가 가리키는 것이 알맞게 짝 지어진 것을 고르시오. ·······(　)

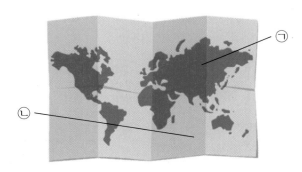

㉠　　㉡　　　　㉠　　㉡
① 위도 – 경도　　② 대륙 – 경도
③ 대륙 – 대양　　④ 대양 – 대륙
⑤ 위도 – 대양

10 다음에서 설명하는 낱말이 무엇인지 쓰시오.

동경 180°의 선을 따라 남극과 북극을 잇는 경계선. 날짜가 바뀌는 기준이 되는 선.

(　)

명언 플러스

다만 한 권의 책이라도 제대로 읽고 이해하는 것이 중요하다

우리나라 천 원짜리 지폐에는 누가 있을까?

퇴계 이황은 조선 성리학의 체계를 세운 조선의 대학자였어.

이황 선생님은 12세부터 작은 아버지에게 가르침을 받았어.

서울에서 유학하던 어느 날 운명의 책을 만나게 되지.

그 길로 이황은 방문을 걸어 잠그고 '주자전서'만을 읽기 시작했지.

한여름 무더위에도 밥 먹는 시간을 제외하고는 계속 책을 읽었어.

읽는 책은 오직 하나 주자전서였지.

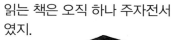

이황이 걱정되어 같이 쉬자고 말을 건네도

그는 책에 푹 빠져 이렇게 말했대.

이황은 많은 책을 읽는 것보다 책 하나를 제대로 읽고 깊이 연구해 책을 외울 정도가 되었어.

그리고 마침내 주자에 관한 다양한 책을 쓸 수 있었어.

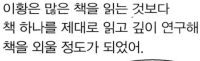

책 한 권이 별 것 아닌 것 같지만

한 권이라도 제대로 이해하는 것이 중요하다는 것이지.

3주 특강 사고 쑥쑥

1 미로를 풀려고 해요. 낱말에 대한 설명이 알맞으면 오른쪽으로 이동, 알맞지 않으면 아래쪽으로 이동하여 도착한 문의 번호를 쓰세요.

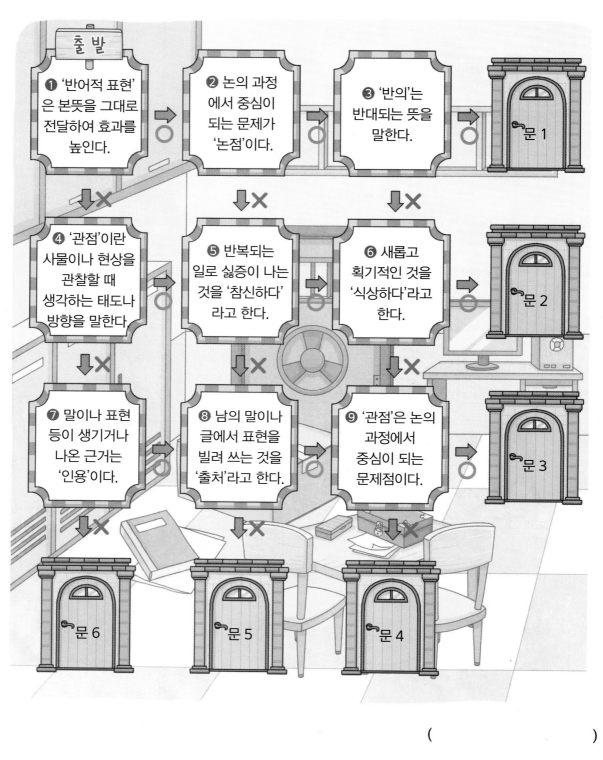

출발

❶ '반어적 표현'은 본뜻을 그대로 전달하여 효과를 높인다.

❷ 논의 과정에서 중심이 되는 문제가 '논점'이다.

❸ '반의'는 반대되는 뜻을 말한다.

문 1

❹ '관점'이란 사물이나 현상을 관찰할 때 생각하는 태도나 방향을 말한다

❺ 반복되는 일로 싫증이 나는 것을 '참신하다'라고 한다.

❻ 새롭고 획기적인 것을 '식상하다'라고 한다.

문 2

❼ 말이나 표현 등이 생기거나 나온 근거는 '인용'이다.

❽ 남의 말이나 글에서 표현을 빌려 쓰는 것을 '출처'라고 한다.

❾ '관점'은 논의 과정에서 중심이 되는 문제점이다.

문 3

문 6

문 5

문 4

(   )

2 다음과 같이 코딩을 했을 때 질문에 알맞은 답이 있는 칸에 도착하는 경우를 모두 찾아 ○표 하세요.

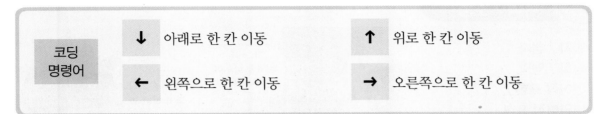

코딩 명령어

↓ 아래로 한 칸 이동   ↑ 위로 한 칸 이동

← 왼쪽으로 한 칸 이동   → 오른쪽으로 한 칸 이동

(1) 일정한 방법이나 형식을 뜻하는 말은?

← → ↓ → → → ↓

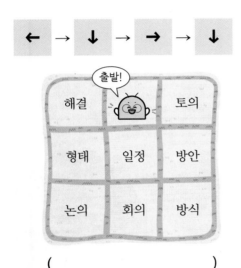

(   )

(2) 두 사람 이상이 무언가를 공동으로 가지는 것을 뜻하는 말은?

← → ← → ↓ → →

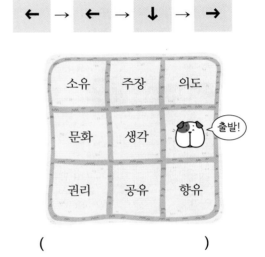

(   )

(3) 더 높은 단계로 오르기 위해 어떤 것을 하지 않는 것을 뜻하는 말은?

→ → ↑ → ↑ → →

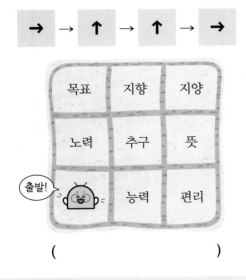

(   )

(4) 어떤 것의 기능이 활발한 것을 뜻하는 말은?

→ → ↓ → ← → ←

(   )

4주에는 무엇을 공부할까? ①

1일 국어 > 소통

화자 / 청자
담화 / 맥락
언어적 표현 /
비언어적 표현
경청 / 단절

속담 말 한마디에 천 냥 빚도 갚는다 / 혀 아래 도끼 들었다
사자성어 임기응변 / 허심탄회

2일 생활 > 상태

여건 / 재건
처하다 / 처치하다
훼손 / 훼방
보호 / 보수

속담 공든 탑이 무너지랴 / 하늘이 무너져도 솟아날 구멍이 있다
사자성어 사면초가 / 일촉즉발

3일 과학 > 전기

전류 / 전압
도체 / 부도체
번개 / 천둥
직렬 / 병렬

속담 번개가 잦으면 천둥을 한다 / 벼락 치는 하늘도 속인다
사자성어 청천벽력 / 부화뇌동

4일 생활 > 능력

공적 / 과실
역량 / 기능
소질 / 재간
두각 / 조예

속담 뛰는 놈 위에 나는 놈 있다 / 굼벵이도 구르는 재주가 있다

사자성어 군계일학 / 재덕겸비

5일 사회 > 기후

기후 / 날씨
기온 / 기상
온대 기후 /
한대 기후
건기 / 우기

속담 겨울바람이 봄바람보고 춥다 한다 / 오뉴월 장마에 토담 무너지듯

사자성어 삼한사온 / 귤화위지

명언 플러스

'내 사전에 불가능이란 없다'는 무슨 뜻일까?

언어적 표현

비언어적 표현

*말이나 글이 언어적 표현!

'언어적 표현'과 '비언어적 표현'의 기준은 무엇일까?

1 보기 에서 언어적 표현이나 비언어적 표현과 관계있는 것을 각각 나누어 쓰시오.

보기	언어적 표현	비언어적 표현
몸짓 문자 음성 표정	(1)	(2)

훼손

훼방

*못 쓰게 만드는 것이 훼손!

'훼손'과 '훼방'은 어떻게 다를까?

2 다음 중 '훼손'을 한 상황을 알맞게 말한 친구는?

은우	수영	강희
일제 강점기 때 일제는 창경궁의 건물을 헐고 그 자리에 동물원과 식물원을 지었어.	모둠 활동 발표 자료를 만드는데 친구가 자꾸 장난을 쳐서 시간이 오래 걸렸어.	독서 감상문 쓰기 대회에서 일 등을 했는데 친구가 그렇게 잘 쓴 글은 아니라고 말해서 속이 상했어.

(   )

'도체'와 '부도체'는 무엇일까?

도체
───
부도체

3 다음 전기 회로의 '은박지'처럼 연결하였을 때 전기가 통하는 물체는?

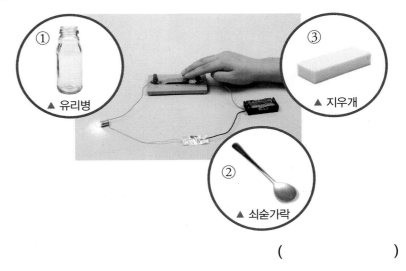

① ▲ 유리병
③ ▲ 지우개
② ▲ 쇠숟가락

(   )

*도체는 전기가 통하는 것!

왜 '굼벵이도 구르는 재주가 있다'고 하였을까?

굼벵이도 구르는
재주가 있다

어때 ? 내가 만들었어.

오, 정말 잘 만들었네.

굼벵이도 구르는 재주가 있다더니.

4 다음 중 '굼벵이도 구르는 재주가 있다'에 어울리는 상황은?

(   )

① 나쁜 댓글을 썼다가 큰 벌을 받게 되었을 때

② 먹고살기 위하여 일을 가리지 않고 열심히 할 때

③ 운동을 잘 못하는 친구가 골키퍼가 되어서 점수를 잃지 않았을 때

*어떤 사람을 굼벵이라고 할까?

#소통 🔍

Q. 그림과 이어지는 해시태그(#)를 보고 알맞은 어휘를 골라 □에 V표 하시오.

① 화자 □ / 청자 □ ⋯

#소통 #의사소통 #말하는 #사람

② 담화 □ / 맥락 □ ⋯

#소통 #이야기의_흐름 #사건의_관계

③ 언어적 표현 □ / 비언어적 표현 □ ⋯

#소통 #몸짓 #표정 #자세
#말하지_않아도 #표현_가능

④ 경청 □ / 단절 □ ⋯

#소통 #관계 #끊어짐
#너랑_말_안_해

정답 ① 화자 ② 맥락 ③ 비언어적 표현 ④ 단절

①

화자

이야기를 하는 사람. 의사소통 과정에서 자신의 생각이나 의견을 전달하는 사람.

예 이 작품의 화자는 사건에 따라 바뀐다.

청자

이야기를 듣는 사람. 의사소통 과정에서 상대방의 의견을 받아들이는 사람.

예 이야기를 할 때에는 청자의 상황을 고려해야 한다.

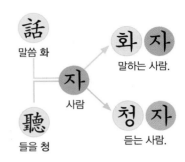

話 말씀 화
聽 들을 청
자 사람
화 자 말하는 사람.
청 자 듣는 사람.

---

②

담화

서로 이야기를 주고받음. 또는 하나 이상의 말이나 문장이 맥락과 어우러져 이루어진 단위.

예 그는 친구와 즐겁게 담화를 나누었다.

맥락

사건과 물건 등이 서로 관련되어 이어져 있는 관계.

예 전체적인 맥락을 고려하며 책을 읽었다.

Tip_
담화는 맥락에 따라 다른 의미를 가짐.

예 새로 나온 영화 재미있대! 오늘 영화 어때? (제안)

예 어제 시사회 갔구나. 그 영화 어때? (질문)

---

③

언어적 표현

의사소통 과정에서 음성이나 문자로 생각이나 느낌을 나타내는 것.

예 언어적 표현을 통해 상대방에게 생각을 전달할 수 있다.

비언어적 표현

의사소통 과정에서 언어가 아닌 몸짓, 표정 등으로 생각이나 느낌을 나타내는 것.

예 비언어적 표현에는 자세, 시선, 표정, 손짓 등이 있다.

손을 드는 것은 의견을 말하고 싶다는 비언어적 표현이야.

---

④

경청

귀를 기울여 들음.

예 짝의 발표를 경청했다.

단절

어떤 대상과의 관계나 교류 등을 끊어 버림. 또는 흐름이 연속되지 아니함.

예 외부와의 연락을 단절하다.

네 말을 경청해 줄게.

#소통 #속담

Q. 그림과 이어지는 해시태그(#)를 보고 알맞은 속담을 골라 ☐에 V표 하시오.

말 한마디에 천 냥 빚도 갚는다 ☐ / 혀 아래 도끼 들었다 ☐

미안해! 닦아 줄게.

뭐야! 내 팔찌 다 젖었잖아.

근데 팔찌 정말 예쁘다. 너랑 참 잘 어울려.

뭐, 그렇긴 하지.

내가 만든 건데, 너도 하나 가질래?

#소통 #말의_힘 #듣기_좋은_말 #상대의_마음도_좋아짐

말 한마디에 천 냥 빚도 갚는다

말만 잘하면 어려운 일이나 불가능해 보이는 일도 해결할 수 있다는 말.

말 한마디에 천 냥 빚도 갚는다
↓ 말이 가진   ↓ 힘이 강력함

말 한마디에 천 냥 빚도 갚는다고 솔직하게 말하는 게 중요해.

제가 깨뜨렸어요. 죄송해요.

혀 아래 도끼 들었다

말을 잘못하면 나쁜 일이 일어날 수 있으니 말을 조심해야 한다는 말.

혀 아래 도끼 들었다
↓ 말   ↓ 조심하지 않으면 위험함

너희 뒤에서 내 이야기 했다며?

미안해.

혀 아래 도끼 들었다고 남에 대한 말을 함부로 하면 나쁜 일이 생길지도 몰라.

정답 말 한마디에 천 냥 빚도 갚는다

Q. 그림과 이어지는 해시태그(#)를 보고 알맞은 사자성어를 골라 ☐에 V표 하시오.

🐰 임기응변 ☐ / 허심탄회 ☐

#소통 #상황에_맞게 #재빠르게 #날렵하게 #아닌_척 #대처

임기응변

그때그때 처한 상황에 맞추어 즉시 그 자리에서 일을 결정하거나 처리함.

臨 機 應 變
임할 임　때 기　응할 응　변할 변
→상황에 맞게　→잘 대처함

다행히 임기응변으로 큰 사고는 막았어.

조심해!

허심탄회

품은 생각을 터놓고 말할 만큼 아무 거리낌이 없고 솔직함.

虛 心 坦 懷
빌 허　마음 심　평평할 탄　품을 회
→마음을 비우고　→품은 생각을 터놓음

허심탄회하게 나한테 다 말해 봐.

정답 임기응변

1 다음 그림과 같이 몸짓이나 표정 등으로 의견이나 생각을 나타내는 것을 무엇이라고 합니까?

> 손을 입에 가져다대는 몸짓은 조용히 해야 한다는 의미를 담고 있다.

⇨ ☐☐☐☐ 표현

2 다음 중 화자와 청자에 대해 알맞게 말한 사람은 누구입니까?

> 지은: 화자는 이야기를 하는 사람이야.
> 종협: 화자는 의사소통 과정에서 상대방의 의견을 받아들이는 사람이야.
> 수현: 청자는 의사소통 과정에서 자신의 의견을 전달하는 사람이야.

( )

3 빈칸에 알맞은 말을 보기에서 골라 쓰시오.

> **보기**
> 경청   맥락   담화   단절

(1) 그의 진술은 앞뒤 ☐☐ 이 맞지 않았다.

(2) 저의 말을 끝까지 ☐☐ 해 주셔서 감사합니다.

(3) 최근 우리 사회는 세대 간 대화의 ☐☐ 이 심화되고 있다.

4 다음 밑줄 그은 '담화'가 알맞게 쓰이지 않은 것은 무엇입니까? ⋯⋯⋯⋯⋯⋯( )

① 맥락에 따라 담화의 의미가 달라진다.

② 오랜만에 만난 친구와 한참 동안 담화를 나누었다.

③ 학교에서 아이들 몇몇이 모여 담화를 나누고 있다.

④ 그는 필기시험에서 합격을 했지만 담화에서 떨어졌다.

⑤ 그는 학술 대회에서 참가자들과 함께 담화를 나누었다.

5 다음 이야기를 읽고, 밑줄 그은 부분과 관련된 속담으로 알맞은 것은 무엇입니까? ···············(   )

> 옛날 어느 마을에 아주 큰 재산을 가진 김 부자가 살았다. 어느 날, 가죽신을 만들어 파는 갓바치가 찾아왔다. 가죽신을 만들어 팔기 위해 가죽을 살 돈을 빌리러 온 것이었다.
>
> "김 부자 어른, 백 냥만 꿔 주시겠습니까? 은혜를 잊지 않고 꼭 이자를 붙여 갚겠습니다."
>
> "알겠네. 꼭 기한 내에 갚아야 하네."
>
> 김 부자는 성실하기로 소문난 갓바치의 말을 믿고, 주저 없이 백 냥을 빌려 주었다.
>
> 시간이 지나 약속한 날짜가 되었지만 갓바치는 오지 않았다. 화가 난 김 부자는 집으로 직접 찾아가 돈을 받아 오기로 하였다. 갓바치의 집으로 가자 그는 버선발로 나와 김 부자를 맞이하였다. 김 부자는 화가 난 채로 갓바치에게 소리쳤다.
>
> "이런 나쁜 녀석, 빼돌릴 생각 하지 말고 빌린 돈이나 내놓아라!"
>
> "정말 죄송합니다, 어르신. 빌려 주신 돈으로 가죽신을 만들어 팔았지만 아직 갚을 돈을 마련하지 못했습니다. 열심히 장사를 해서 사흘 뒤에 꼭 갚겠습니다."
>
> 김 부자는 갓바치의 정중하고 공손한 말에 마음이 누그러졌다. 병든 어머니를 모시며 어렵게 장사를 하는 갓바치의 모습이 가엾게 느껴졌다.
>
> "<u>열심히 해도 처지가 어려운 것을 어쩌겠는가. 돈은 갚지 않아도 되니 어머니도 잘 돌보고 장사도 열심히 하게나.</u>"
>
> "정말이십니까? 감사합니다, 어르신! 이 은혜는 절대 잊지 않겠습니다."

① 혀 아래 도끼 들었다   ② 바늘 가는 데 실 간다

③ 낫 놓고 기역 자도 모른다   ④ 십 년이면 강산도 변한다

⑤ 말 한마디에 천 냥 빚도 갚는다

6 다음 속담의 뜻으로 알맞은 것을 찾아 ○표 하시오.

> 혀 아래 도끼 들었다

(1) 말은 언제나 조심해야 한다.   (   )

(2) 끊임없이 새로운 것을 배우고 익혀야 한다.   (   )

(3) 어려운 일을 겪고 난 뒤에는 반드시 좋은 일이 생긴다.   (   )

7 다음 대화를 읽고, 빈칸에 알맞은 사자성어를 골라 ○표 하시오.

> 아린: 승연아, 무슨 고민 있어? 나에게 [   ] 하게 말해 봐.
>
> 승연: 아, 사실은 이번 시험에서 성적이 너무 떨어져서 속상해.
>
> 아린: 그랬구나, 기대한 만큼 결과가 좋지 않아서 속상했겠다.

(임기응변 / 허심탄회)

#상태 🔍

Q. 그림과 이어지는 해시태그(#)를 보고 알맞은 어휘를 골라 ☐에 V표 하시오.

① 여건 ☐ / 재건 ☐

#상태 #주어진_조건 #처한_상황 #환경

② 처하다 ☐ / 처치하다 ☐

#상태 #해결하다 #적을_물리치다
#일을_감당하다

③ 훼손 ☐ / 훼방 ☐

#상태 #방해하다 #○○꾼 #○○을_놓다

④ 보호 ☐ / 보수 ☐

#상태 #지키다 #보살피다 #○○_장비
#어린이_○○_구역

정답 ① 여건 ② 처치하다 ③ 훼방 ④ 보호

①

여건

처한 상황이나 주어진 조건.
예 그는 어려운 여 건 속에서도 좌절하지 않았다.

재건

무너진 것을 다시 세움.
예 무너졌던 탑이 재 건 되었다.

> '여건'과 비슷한 뜻을 가진 단어에는 조건, 상황, 환경 등이 있어!

②

처하다

어떠한 상황에 놓이다.
예 우리의 계획은 예상치 못한 위기에 처 했 다.

처치하다

일을 처리하다. 상처를 치료하다.
예 급히 응급 처 치 를 했다.

> **Tip_**
> 처하다: 상황에 놓이다.
> 처치하다: 상황을 처리하다.
>
> 적군을 처하다 (×)
> 적군을 처치하다 (○)

4
주

③

훼손

헐거나 깨뜨려 못 쓰게 만듦.
예 자연을 훼 손 해서는 안 된다.

훼방

남의 일을 방해함.
예 그는 우리가 하는 일에 훼 방 을 놓았다.

> 훼 손 — 망가뜨리는 것
> 훼 방 — 방해하는 것
>
> 명예 훼손 (○)
> 명예 훼방 (×)

④

보호

위험한 상황에 놓이지 않도록 잘 보살피고 돌봄.
예 안전띠는 우리를 보 호 해 주는 장치이다.

보수

낡거나 부서진 것을 고침.
예 문화재를 보 수 하는 과정에서 새로운 유물이 발견되었다.

▲ 안전띠는 운전자를 보호해 준다.

#상태 #속담

Q. 그림과 이어지는 해시태그(#)를 보고 알맞은 속담을 골라 ☐에 V표 하시오.

공든 탑이 무너지랴 ☐ / 하늘이 무너져도 솟아날 구멍이 있다 ☐

#상태 #해결_가능 #아무리_어려워도_포기_금지 #방법이_있다 #좌절_금지 #희망

공든 탑이 무너지랴

공들여 쌓은 탑은 무너지지 않는 것처럼, 열심히 한 일은 결국 헛되지 않고 보람이 있다는 뜻.

공든 탑이 무너지랴
↓ ↓
힘과 정성을 반드시 좋은
쏟으면 결과를 얻는다

하늘이 무너져도 솟아날 구멍이 있다

아무리 어려운 일에 부딪혀도 해결할 수 있는 희망은 반드시 있다는 뜻.

하늘이 무너져도 솟아날 구멍이 있다
↓ ↓
아무리 어려운 해결할 수 있다
상황이라도

매일매일 꾸준히 공부했으니까 이번 시험은 내가 일 등이다! 공든 탑이 무너지겠어?

하늘이 무너져도 솟아날 구멍이 있다더니, 고맙다 제비야!

정답 하늘이 무너져도 솟아날 구멍이 있다

#상태 #사자성어

Q. 그림과 이어지는 해시태그(#)를 보고 알맞은 사자성어를 골라 ☐에 V표 하시오.

사면초가 ☐ / 일촉즉발 ☐

#상태 #위기 #위급하고_절박 #아슬아슬 #위험한_모습 #터지기_직전! #폭발하기_직전

사면초가

누구의 도움도 받을 수 없는 외롭고 곤란한 상황.

四 面 楚 歌
넉 사 얼굴 면 초나라 초 노래 가
　　　 사방에서 들리는　　 초나라의 노래

유래

초나라와 한나라가 전쟁을 하던 중에 한나라가 꾀를 내어 포로로 잡은 초나라 포로들에게 초나라의 노래를 부르게 했어요. 초나라의 노래가 들리자 초나라 군사들은 고향 생각이 나서 사기가 떨어져 하나둘 도망쳤지요. '사면초가'는 '사방에서 초나라의 노래가 가득하다'라는 뜻으로 사방이 적으로 둘러싸였을 때 쓰는 말이에요.

일촉즉발

당장이라도 큰일이 벌어질 것 같은 아슬아슬하고 위험한 상황.

一 觸 卽 發
한 일 닿을 촉 곧 즉 필 발
　　　 한 번 닿으면　　 즉시 터진다

금방이라도 터질 것 같은
이 폭탄처럼 아슬아슬한 것이
바로 일촉즉발!

정답 일촉즉발

1 빈칸에 알맞은 낱말을 보기에서 골라 쓰시오.

보기

훼손   훼방   보수

(1) 동생이 자꾸 내 일에 ☐☐을 놓았다.

(2) 낡은 하수도 배관을 ☐☐하고 있다.

(3) 무분별한 개발로 인해 자연이 많이 ☐☐되었다.

2 다음 중 '보호'의 뜻으로 가장 알맞은 것은 어느 것입니까? ·· (   )

① 무너진 것을 다시 세움.

② 처한 상황이나 주어진 조건.

③ 헐거나 깨뜨려 못 쓰게 만듦.

④ 남에게 진 빚 또는 받은 물건을 갚음.

⑤ 위험한 상황에 놓이지 않도록 잘 보살피고 돌봄.

3 다음은 '경복궁'에 대한 설명입니다. 첫 자음자와 뜻을 살펴보고 ❶과 ❷에 들어갈 알맞은 낱말을 쓰시오.

경복궁

　경복궁은 조선 시대에 만들어진 5개의 궁궐 중 첫 번째로 지어진 곳입니다. 경복궁은 임진왜란 때 일어난 화재로 270년 동안 빈터로 남아 있다가 조선 말에 흥선대원군의 주도로 다시 ❶ⓏⒼ되었습니다. 우리나라의 소중한 문화재인 경복궁이 다시는 ❷ⒽⓈ되지 않도록 보호해야 할 것입니다.

❶ⓏⒼ : 무너진 것을 다시 세움.

◯◯

❷ⒽⓈ : 헐거나 깨뜨려 못 쓰게 만듦.

◯◯

4 다음 글을 읽고 떠올릴 수 있는 사자성어는 무엇입니까? ·················· (   )

> 아나운서: 지난 20일 밤, 서울의 한 유명 쇼핑몰에서 폭탄 신고가 들어왔다고 합니다. 갑작스레 벌어진 폭발물 신고에 직원들과 고객들은 모두 불안에 떨었다고 하는데요. 직원들은 모두 긴급하게 쇼핑몰 문을 닫고, 고객들은 바깥으로 서둘러 대피하는 등 한바탕 소동이 있었다고 합니다. 자세한 내용을 김지성 기자와 함께 알아 보겠습니다. 김지성 기자.
>
> 김지성 기자: 네. 어젯밤 8시 10분경 서울의 한 유명 쇼핑몰인 ○○몰에 한 통의 전화가 걸려 왔습니다. 전화의 내용은 다름 아닌 쇼핑몰 화장실에 폭탄을 설치했다는 내용이었는데요. 전화를 받은 직원은 즉시 모든 고객을 대피시키고 경찰은 해당 쇼핑몰 등 일부 지역을 통제했습니다.
>
> 아나운서: 정말 위험한 상황이었겠군요. 대피 과정에서 인명 피해는 없었습니까?
>
> 김지성 기자: 다행스럽게도 직원들이 능숙하게 대처하고 모두 질서 있게 차분히 대피한 덕분에 인명 피해는 일어나지 않았습니다.
>
> 아나운서: 그렇다면 수색 결과는 어떻게 나왔나요?
>
> 김지성 기자: 경찰이 곧바로 해당 쇼핑몰을 수색했지만, 폭발물은 발견되지 않았습니다. 허위 신고임을 파악한 경찰은 발신지 추적을 통해 약 50분 만인 밤 9시경 서울의 한 주택에서 용의자 A 씨를 붙잡았습니다.

① 어부지리   ② 각골난망   ③ 일촉즉발   ④ 등하불명   ⑤ 자수성가

5 다음 속담과 관련 있는 설명을 선으로 이으시오.

(1) 공든 탑이 무너지랴   •

(2) 하늘이 무너져도 솟아날 구멍이 있다   •

• ① 열심히 한 일은 헛되지 않고 보람이 있다는 뜻.

• ② 아무리 어려운 일에 부딪혀도 해결할 수 있는 희망은 반드시 있다는 뜻.

6 다음 문장의 빈칸에 알맞은 사자성어를 써넣으시오.

□□□□ 은 한 번 건드리기만 해도 곧 폭발할 것 같다는 뜻으로, 몹시 위급한 상태를 뜻하는 말이다.

#전기

Q. 그림과 이어지는 해시태그(#)를 보고 알맞은 어휘를 골라 □에 V표 하시오.

① 전류 □ / 전압 □

#전기 #감전 #전기가_물처럼 #흘러흘러
#으힛_찌릿찌릿!

② 도체 □ / 부도체 □

#전기 #감전 #전기가_잘_통해
#철_구리_알루미늄_따위

③ 번개 □ / 천둥 □

#전기 #벼락 #번쩍_번쩍
#세상에서_가장_빠른_개는?

④ 직렬 □ / 병렬 □

#전기 #회로 #연결_모습 #일렬로_주욱
#나란히_나란히

정답 ① 전류 ② 도체 ③ 번개 ④ 직렬

1 전류 / 전압

전기의 이동이나 흐름. 즉 전기적 성질이 물처럼 흐르는 것.

예 전선에는 전류가 흐른다.

전기의 흐름에 가해지는 압력의 정도. 전압이 높을수록 전류가 더 세고 강하게 흐름. 단위는 볼트(V).

Tip_
물을 가득 담고 있는 댐의 힘을 전압에 비유하면 전류는 댐에서 흐르는 물로 비유할 수 있음.

2 도체 / 부도체

철, 구리, 알루미늄, 흑연과 같이 전기가 잘 흐르는 물질.

종이, 비닐, 유리, 나무와 같이 전기가 잘 흐르지 않는 물질.

도체

부도체

3 번개 / 천둥

구름과 구름, 구름과 땅 사이에서 전기가 흘러 번쩍이는 불꽃.

예 먼 하늘에서 번개가 번쩍였다.

큰 소리와 함께 번개가 치는 것.

예 천둥이 치자 큰 소리에 놀란 강아지가 마루 밑으로 숨었다.

불꽃 = 번개

불꽃 + 우르르 쾅! 소리 = 천둥

4 직렬 / 병렬

전기 회로에서 두 개 이상의 전지나 전구를 한 줄로 연결하는 방법.

전기 회로에서 두 개 이상의 전지나 전구를 여러 줄로 나누어 연결하는 방법.

▲ 전지의 직렬연결

▲ 전지의 병렬연결

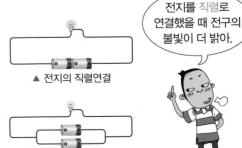
전지를 직렬로 연결했을 때 전구의 불빛이 더 밝아.

#전기 #속담

Q. 그림과 이어지는 해시태그(#)를 보고 알맞은 속담을 골라 ☐에 V표 하시오.

🐰 번개가 잦으면 천둥을 한다 ☐ / 벼락 치는 하늘도 속인다 ☐

#전기 #벼락 #무서워 #그래도_잘_속임 #간이_부었다 #못_속일_게 #없네?

번개가 잦으면 천둥을 한다

어떤 일의 징조(조짐)가 자주 일어나면 반드시 그 일이 생김을 비유적으로 이르는 말.

> 번개가 잦으면 천둥을 한다
> 어떤 일의 징조   그 결과, 일어날 일

번개가 잦으면 천둥을 한다고, 엊저녁부터 어쩐지 기침을 자주 하더라니······.

콜록, 콜록

벼락 치는 하늘도 속인다

속이려면 못 속일 것이 없음을 비유적으로 이르는 말.

> 벼락 치는 하늘도 속인다
> 힘 있고 권위 있는 상대

 아까 호영이가 수업 시간에 과자 먹는 거 봤어?

응. 선생님도 계신데 겁이 없더라. 벼락 치는 하늘도 속이겠어.

정답 벼락 치는 하늘도 속인다

#전기 #사자성어

Q. 그림과 이어지는 해시태그(#)를 보고 알맞은 사자성어를 골라 □에 V표 하시오.

청천벽력

맑게 갠 하늘에서 치는 벼락. 뜻밖에 일어난 불운이나 큰 사고를 이르는 말.
비슷한 속담: 마른하늘에 날벼락

부화뇌동

'우레 소리에 맞춰 함께한다'는 뜻으로 줏대 없이 그저 남의 의견대로 따라가는 것을 이르는 말.

▲ 부화뇌동

1 전압과 전류를 댐에 빗대어 설명하였습니다. 빈칸에 전압이나 전류를 써넣으시오.

> 물을 가득 저장하고 있는 댐은 물을 내보낼 수 있는 힘과 압력을 가지고 있다. 댐이 저장하고 있는 힘은 (❶)에 비유할 수 있고, 댐에서 흘러내리는 물은 (❷)에 비유할 수 있다.

2 다음 여러 가지 물질을 도체와 부도체로 구분하시오.

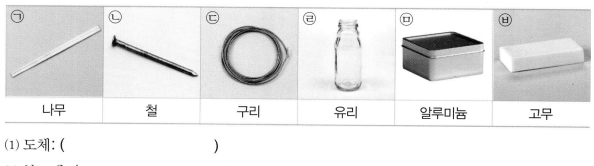

㉠	㉡	㉢	㉣	㉤	㉥
나무	철	구리	유리	알루미늄	고무

(1) 도체: ( )

(2) 부도체: ( )

3 천둥과 번개의 의미 차이에 대해 바르게 이해한 것은 어느 것입니까?⋯⋯⋯⋯⋯⋯⋯⋯⋯( )

① 번개는 하늘에서 번쩍이는 불꽃이고, 천둥은 땅에서 번쩍이는 불꽃이다.

② 천둥은 맑은 날 번쩍이는 불꽃이고, 번개는 비 오는 날 번쩍이는 불꽃이다.

③ 번개는 하늘에서 번쩍이는 불꽃이고 천둥은 번개와 함께 큰 소리가 나는 현상이다.

④ 천둥은 하늘에서 번쩍이는 불꽃이고 번개는 불꽃과 함께 큰 소리가 나는 현상이다.

⑤ 번개는 불꽃과 함께 비가 내리는 현상이고 천둥은 맑은 날 불꽃만 번쩍이는 현상이다.

4 다음 전기 회로에서 전지의 연결이 직렬인지, 병렬인지 구분하여 쓰시오.

(1)

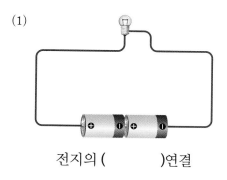

전지의 ( )연결

(2)

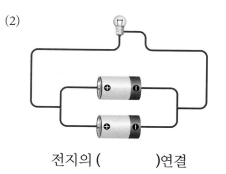

전지의 ( )연결

5 다음 글에서 촌장 할아버지가 전한 소식을 가장 잘 나타내 주는 말은 무엇입니까? ················· (   )

> 오후가 되자 어딘가 분위기가 이상했어. 한국 선장을 만나러 갔던 피터 형이 이마를 찡그리며 돌아왔어. 촌장 할아버지의 얼굴도 눈에 띄게 굳어졌어. 우리를 전부 모이라고 했어.
>
> 우린 불안한 얼굴로 서로를 쳐다봤어. 알 수 없는 긴장감이 스멀스멀 가슴을 죄어 왔어.
>
> 촌장 할아버지가 떨리는 목소리로 입을 열었어.
>
> "한국 선원들이 우리가 타고 온 뗏목을 수리해 준답니다. 그리고 얼마간의 식량과 물을 줄 테니……."
>
> 촌장 할아버지는 목이 멘 듯 잠시 말을 멈췄어. 난 심장이 조금씩 쿵쾅거렸어.
>
> "내일 아침 뗏목을 타고 다시 이 배를 떠나랍니다."
>
> 아! 나는 머릿속이 까마득해졌어. 어떤 사람은 울음을 터뜨렸어.
>
> 나는 아침에 피터 형과 촌장 할아버지가 걱정스럽게 주고받는 말을 들었어.
>
> "지금 여러 나라에서 보트피플을 바다의 골칫덩이라며 안 받겠다고 거부하고 있대요."
>
> 피터 형은 치직거리는 작은 라디오를 들고 다녔어. 나는 베트남에서 탈출한 사람들을 '보트피플'이라고 부른다는 걸 처음 알았어.
>
> 촌장 할아버지가 힘없는 목소리로 덧붙였어.
>
> "보트피플을 받아들이면 한국 선장은 쫓겨나고 처벌을 받는답니다."
>
> – 「또 하나의 약속」 김도식 –

① 타산지석 같은 소식   ② 부화뇌동 같은 소식   ③ 대기만성 같은 소식

④ 청천벽력 같은 소식   ⑤ 마이동풍 같은 소식

6 '번개가 잦으면 천둥을 한다'는 속담에서 '번개'가 뜻하는 것은 무엇입니까? ················· (   )

① 예상하지 못한 큰일

② 누구나 쉽게 할 수 있는 일

③ 쓸데없이 하지 않아도 될 일

④ 어떤 일로 인해 일어난 결과

⑤ 어떤 일이 일어날 조짐이나 기미

7 다음 중 '부화뇌동'하는 인물은 누구입니까?

> • 호랑이 탈을 쓰고 임금 행세를 하는 숲속의 여우
> • 여우에게 먹을 것을 바쳐야 한다고 말하는 원숭이
> • 여우의 말을 따라서는 안 된다고 주장하는 앵무새
> • 원숭이 말에 찬성했다가 다시 앵무새의 말을 따르는 토끼

(   )

#능력 🔍

Q. 그림과 이어지는 해시태그(#)를 보고 알맞은 어휘를 골라 ☐에 V표 하시오.

① 공적 ☐ / 과실 ☐

#능력 #잘못 #어떻게_해? #조심했어야지

② 역량 ☐ / 기능 ☐

#능력 #해야_할_일 #맡은_일
#다양하면_좋아

③ 소질 ☐ / 재간 ☐

#능력 #원래부터_가지고_있는_것
#내_'이것'은_무엇일까

④ 두각 ☐ / 조예 ☐

#능력 #지식 #경험
#이렇게나_많이_가지고_있지

①

공적

몸과 마음을 다하여 힘을 들이고 애를 써서 이루어 낸 일의 결과.

예 선조들의 공적을 기리다.

과실

조심을 하지 않거나 열심히 하지 않아서 생긴 잘못이나 실수.

예 운전자의 과실로 사고가 일어났다.

▲ 과실로 인한 교통사고

---

②

역량

어떤 일을 해낼 수 있는 힘.

예 김구 선생은 역량 있는 지도자였다.

기능

하는 구실이나 작용을 함. 또는 그런 것.

예 첨단 기능을 갖춘 로봇이다.

▲ 로봇의 기능이 다양해져서 여러 산업 분야에서 쓰임.

---

③

소질

본디부터 가지고 있는 성질. 또는 타고난 능력이나 재능.

예 나는 축구에 소질이 있다.

재간

어떤 일을 할 수 있는 재주와 솜씨. 또는 어떠한 수단이나 방법.

예 나는 여러 분야에 재간이 있다.

▲ 소질을 계발하여 직업을 갖기도 한다.

---

④

두각

뛰어난 학식이나 재능을 비유적으로 이르는 말.

예 그 선수는 마라톤 대회에서 두각을 나타냈다.

조예

학문이나 예술, 기술 따위의 분야에 대한 지식이나 경험이 깊은 경지에 이른 정도.

예 음악에 대한 조예가 깊다.

Tip_
'두각'은 원래 '짐승의 머리에 있는 뿔'을 뜻하는 말이었음.

#능력 #속담

Q. 그림과 이어지는 해시태그(#)를 보고 알맞은 속담을 골라 ☐에 V표 하시오.

뛰는 놈 위에 나는 놈 있다 ☐ / 굼벵이도 구르는 재주가 있다 ☐

#능력 #내가_잘하지 #어_나보다_잘하는_사람이_있네

뛰는 놈 위에 나는 놈 있다

아무리 재주가 뛰어나다 하더라도 그보다 더 뛰어난 사람이 있다는 뜻. 스스로 뽐내지 말고 겸손할 줄 알아야 함을 이르는 말.

뛰는 놈 위에 나는 놈 있다
잘난 사람   더 잘난 사람

'뛰는 놈 위에 나는 놈 있다'와 비슷한 뜻의 속담을 알고 있니?

응. '범 잡아먹는 담비가 있다'라는 속담이 있어.

굼벵이도 구르는 재주가 있다

아무리 별 볼 일 없어 보이는 사람도 재주 하나는 있기 마련이라는 말. 사람마다 잘할 수 있는 것이 있다는 뜻.

굼벵이도 구르는 재주가 있다
능력이 없는 사람도   한 가지 재주는

'굼벵이'는 매미의 애벌레야. 잘 움직이지 못해 행동이 느린 사람을 보고 '굼벵이 같다'고 하지. 하지만 굼벵이도 나무 아래로 떨어질 때에는 기막히게 잘 구르는 재주를 가지고 있어.

정답 뛰는 놈 위에 나는 놈 있다

#능력 #사자성어

Q. 그림과 이어지는 해시태그(#)를 보고 알맞은 사자성어를 골라 ☐에 V표 하시오.

군계일학

닭의 무리 가운데에서 한 마리의 학이란 뜻으로, 많은 사람 가운데서 뛰어난 인물을 이르는 말.

재덕겸비

재주와 어질고 너그러운 행동을 함께 갖춤. 즉 재주를 가지고 있더라도 바른 행동을 해야 한다는 뜻.

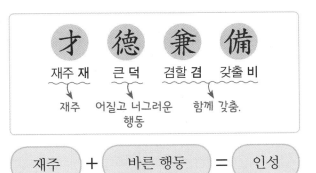

정답 군계일학

1 빈칸에 알맞은 말을 보기에서 찾아 쓰시오.

보기
| 공적 | 조예 | 소질 |

(1) 친구는 그림과 조각 모두에 ☐☐ 을 보였다.

(2) 세종 대왕은 재위 기간 동안 많은 ☐☐ 을 쌓았다.

(3) 아버지께서는 미술에 ☐☐ 가 깊어 전문가 수준이라고 할 수 있다.

2 다음 중 '기능'을 넣었을 때 어울리지 않는 문장은 무엇입니까?·······································(   )

① 이 스마트폰은 기능이 다양하다.

② 나이가 들면 소화 기능이 약해진다.

③ 오래된 자동차라서 기능이 떨어진다.

④ 어머니께서는 문학에 대한 기능이 깊다.

⑤ 대화는 사람 사이의 관계를 부드럽게 하는 기능을 한다.

3 다음에서 설명하는 낱말은 무엇인지 첫 자음자를 참고하여 써넣으시오.

- 짐승의 머리에 있는 뿔
- 뛰어난 학식이나 재능을 비유적으로 이르는 말

☐ㄷ ☐ㄱ

4 다음 대화를 읽고 알맞은 말에 ○표 하시오.

건후: 어제 텔레비전 뉴스를 보았는데 자전거를 타던 사람이 맞은편에서 달려오는 개를 보고 갑자기 멈추려다가 자전거에서 떨어져서 크게 다쳤대.

하영: 나도 보았어. 그 개는 목줄을 하지 않은 상태였잖아.

건후: 응. 그래서 그 개 보호자의 (과실 / 과잉) 때문에 발생한 사고라서 개 보호자가 벌금을 물었대.

5 다음 글의 빈칸에 알맞은 사자성어는 무엇입니까? ⸺⸺⸺⸺⸺⸺⸺⸺⸺ (   )

> 이번 월드컵 축구 대회에 출전한 ○○○ 선수는 선수들 중에서 그야말로 [   ]이었다. ○○○ 선수는 공을 가졌을 때 좌우를 가리지 않고 적절한 패스를 하였다. 또한 뒤쪽에서 상대편 골대가 있는 쪽으로 한 번에 길게 보내는 패스도 여러 번 하였다. 결국 ○○○ 선수가 얻은 프리 킥으로 우리나라는 1점을 먼저 얻게 되었고 경기에 승리하여 4강에 진출하였다. 점수를 얻은 뒤에도 ○○○ 선수는 공격뿐만 아니라 수비에도 적극 가담하여 상대편 공격 선수들을 끈질기게 괴롭혔다.
>
> ○○○ 선수의 이런 경기 능력은 한순간에 만들어진 것이 아니다. 초등학교 때 축구를 시작하였지만 작은 키와 마른 몸이 약점이었다. 그렇지만 ○○○ 선수는 이런 약점을 극복하기 위해 빠르게 달리는 연습을 하였고 지금은 누구보다도 빠르게 축구장을 누비는 선수가 되었다. ○○○ 선수는 공이 있는 곳이면 방이든 운동장이든 상관없이 무릎과 발등으로 공을 다루는 연습을 하였다. 공을 패스하는 것, 운동장을 빠르게 달리는 것, 헤딩과 같은 연습은 수천, 수만 번을 했다고 한다. 다른 선수들이 쉬는 날에도 체육관에 나와서 체력 운동도 게을리하지 않았다. ○○○ 선수의 이런 노력이 결국 오늘의 모습을 만들어 낸 것이다.

① 주경야독   ② 청천벽력   ③ 일촉즉발

④ 임기응변   ⑤ 군계일학

4주

6 다음 (   ) 안에 들어갈 속담으로 알맞은 것에 ○표 하시오.

> "(   )더니 연석이가 태권도를 잘한다고 자랑하고 다녔는데, 이번에 전학 온 이준이가 태권도 2단이래."

(1) 혀 아래 도끼 들었다   (   )

(2) 뛰는 놈 위에 나는 놈 있다   (   )

(3) 하늘이 무너져도 솟아날 구멍이 있다   (   )

7 다음 빈칸에 알맞은 낱말을 써넣으시오.

> "[ ][ ][ ]도 구르는 재주가 있다"라는 속담은 '아무리 별 볼 일 없어 보이는 사람도 재주 하나는 있기 마련이다.'라는 뜻이다.

#기후

Q. 그림과 이어지는 해시태그(#)를 보고 알맞은 어휘를 골라 □에 V표 하시오.

① 기후 □ / 날씨 □

#기후 #하루하루 #맑음 #흐림 #기온 #비
#일기_예보

② 기온 □ / 기상 □

#기후 #날씨 #○○청 #바람 #비 #기온
#모두_합해서_부르는_말

③ 온대 기후 □ / 한대 기후 □

#기후 #기온_낮음 #극지방
#세종_과학_기지 #다산_과학_기지

④ 건기 □ / 우기 □

#기후 #비 #한_달_넘게_비가_옴
#빨래는_어떻게_말리지

정답 ❶ 날씨 ❷ 기상 ❸ 한대 기후 ❹ 우기

①
기후

일정한 지역에서 여러 해에 걸쳐 나타나는 평균적인 날씨.

［예］우리나라는 온대 기후에 속한다.

날씨

한 지역에서 그날그날의 비, 구름, 바람, 기온 따위가 나타나는 대기 상태. 유의어 일기

［예］오늘 날씨가 좋으니 등산을 가자.

> 매일매일의 날씨가 모여 기후를 이뤄.

---

②
기온

공기의 온도.

［예］밤이 되자 기온이 떨어졌다.

기상

바람, 비, 구름, 눈 등과 같은 대기 현상을 통틀어 일컫는 말.

［예］기상이 나빠서 비행기가 뜰 수 없다.

> **Tip_**
> '기상'은 기온, 기압, 풍속(바람의 속도)과 풍향(바람의 방향), 강수량(비나 눈의 양) 등을 모두 포함함.

4 주

---

③
온대 기후

열대 기후보다 기온이 낮은 기후. 사계절이 뚜렷함. 우리 나라는 온대 기후에 속함. 기온이나 강수량이 사람이 살기에 적당함.

한대 기후

일 년 내내 평균 기온이 매우 낮은 기후. 평균 기온이 가장 높은 달도 10℃보다 낮음.

> **다양한 기후**
> • 열대 기후: 일 년 내내 기온이 높음.
> • 온대 기후: 사람이 살기에 적당하고 사계절이 뚜렷함.
> • 냉대 기후: 겨울이 길고 추움.
> • 한대 기후: 일 년 내내 기온이 낮음.

---

④
건기

일 년 중 오랫동안 비가 내리지 않아 건조한 시기. 열대 기후에서 뚜렷하게 나타남.

［예］건기가 계속되자 가뭄이 심해졌다.

우기

일 년 중 비가 많이 오는 시기. 건기와 마찬가지로 열대 기후에서 뚜렷하게 나타남.

［예］우기에 비로 인한 피해가 많이 생긴다.

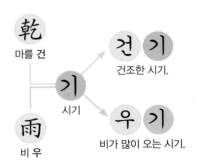

乾 마를 건
건기 건조한 시기.
기 시기
雨 비 우
우기 비가 많이 오는 시기.

#기후 #속담

Q. 그림과 이어지는 해시태그(#)를 보고 알맞은 속담을 골라 ☐에 V표 하시오.

겨울바람이 봄바람보고 춥다 한다 ☐ / 오뉴월 장마에 토담 무너지듯 ☐

야, 너 책상 정리 좀 해. 지저분하게 이게 뭐야?

네 책상이 훨씬 더 지저분하거든?

♡ ○ ◁

#기후 #바람 #누가_더_춥나 #남_지적하기 #누가_할_소리 #너_자신을_알라

겨울바람이 봄바람보고 춥다 한다

더 추운 겨울 바람이 덜 추운 봄바람보고 춥다고 한다는 의미로, 자기의 허물은 생각하지 않고 남의 허물만 나무라는 경우를 비유적으로 이르는 말.

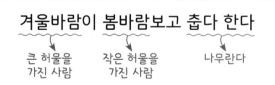

겨울바람이 봄바람보고 춥다 한다

| 큰 허물을 가진 사람 | 작은 허물을 가진 사람 | 나무란다 |

비슷한 뜻의 속담

가랑잎이 솔잎더러 바스락거린다고 한다

더 바스락거리는 가랑잎이 솔잎더러 바스락거린다고 나무란다는 말로, 자기 허물이 더 많은데 남의 허물만 나무란다는 뜻.

오뉴월 장마에 토담 무너지듯

빗물을 많이 흡수한 흙담이 맥없이 무너지는 것처럼 힘없이 내려앉음을 비유적으로 이르는 말.

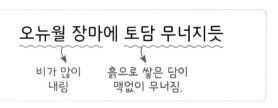

오뉴월 장마에 토담 무너지듯

| 비가 많이 내림 | 흙으로 쌓은 담이 맥없이 무너짐. |

나는 흙으로 쌓은 토담! 비가 많이 내리면 빗물을 흡수해서 금방 무너져.

정답 겨울바람이 봄바람보고 춥다 한다

Q. 그림과 이어지는 해시태그(#)를 보고 알맞은 사자성어를 골라 ☐에 V표 하시오.

삼한사온 ☐ / 귤화위지 ☐

나는 얇고 큰 귀를 가진 사막여우야.

나는 귀가 작고 털이 두꺼운 북극여우야.

♡ ◯ ◁

#기후 #환경의_중요성 #변화 #환경이_변하면 #사람도_변해

삼한사온

3일간 춥고 4일간 따뜻하다는 의미로, 주로 우리나라를 포함한 동부아시아의 겨울철에 나타나는 날씨 주기의 특징.

三	寒	四	溫
석 삼	찰 한	넉 사	따뜻할 온

3일간 춥고　　　4일간 따뜻함

으~ 오늘이 3일째 추운 거지?

내일부터 4일은 따뜻하겠네.

귤화위지

강남의 귤을 강북에 옮겨 심으면 탱자가 된다는 뜻으로, 환경에 따라 사람이나 사물의 성질이 변한다는 말.

橘	化	爲	枳
귤 귤	화할 화	될 위	탱자 지

귤이　　　　　탱자가 됨

비슷한 뜻의 사자성어

近	墨	者	黑
가까울 근	먹 묵	사람 자	검을 흑

근묵자흑

먹을 가까이 하다 보면 자신도 모르게 검어진다는 뜻으로, 사람도 주위 환경에 따라 변할 수 있다는 말.

정답 귤화위지

6단계 A / 163

1 밑줄 그은 낱말을 알맞게 사용하지 <u>못한</u> 문장은 어느 것입니까? ⋯⋯⋯⋯⋯⋯⋯⋯ (   )

① 오늘 <u>기후</u>가 어때요?

② 오늘 <u>날씨</u>를 보니 우산을 가져가야겠다.

③ 이 지방의 <u>기후</u>는 일 년 내내 고온 다습하다.

④ 주말에 동물원에 가기로 했으니까 <u>날씨</u>가 맑으면 좋겠어.

⑤ 지구 온난화 때문에 세계의 <u>기후</u>가 급격하게 변하고 있다.

2 다음 뜻풀이를 보고 십자말풀이를 완성하시오.

> **가로 열쇠**   공기의 온도.
> ㉠ 오늘 최고 ○○은 30℃를 훨씬 넘은 것 같다.
> **세로 열쇠**   바람, 비, 구름, 눈 등과 같은 대기 현상을 통틀어 일컫는 말.
> ㉠ 고산 지역은 하루 중에도 여러 번 날씨가 바뀔 정도로 ○○ 변화가 심하다.

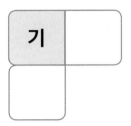

3 다음 기후의 특징을 알맞게 이으시오.

(1) 온대 기후 ・

(2) 한대 기후 ・

・① ・기온이나 강수량이 사람이 살기에 적당함.
    ・사계절이 있음.

・② ・일 년 내내 평균 기온이 매우 낮음.
    ・평균 기온이 가장 높은 달도 10℃ 이하임.

4 다음 땅의 모습은 '건기'와 '우기' 중 언제 볼 수 있는 모습인지 쓰시오.

(   )

5 다음 글의 내용과 관련 있는 사자성어는 무엇입니까?⋯⋯⋯⋯⋯⋯⋯⋯⋯⋯⋯⋯⋯⋯⋯⋯⋯ (   )

> 옛날 제나라에 안영이라는 재상이 있었어요. 안영은 아주 뛰어난 인물로 유명했지요. 안영이 초나라에 가게 되었을 때 초나라의 임금은 안영을 웃음거리로 만들고 싶어서 신하들과 의논했어요.
>
> "안영은 아주 말을 잘하기로 유명한데, 그자를 망신 줄 수 있는 방법이 있을지 생각해 보시오."
>
> "방법이 한 가지 있습니다. 안영이 도착했을 때 한 사람을 불러내기만 하면 됩니다."
>
> "자세히 말해 보거라."
>
> 초나라의 임금은 신하와 함께 안영을 망신 주기 위한 *계략을 짰어요.
>
> 얼마 후 초나라의 임금은 안영을 초대했어요. 술자리가 한창 무르익었을 때 두 명의 신하가 한 사람을 끌고 나왔어요.
>
> "무슨 일이냐?"
>
> 임금이 모른 체하고 묻자 신하가 대답했어요.
>
> "이 사람은 제나라 사람인데 물건을 훔치다 잡혔습니다."
>
> 임금은 안영을 보며 말했어요.
>
> "제나라 사람들은 도둑질을 잘하는 모양이군요."
>
> 안영은 자신을 망신 주기 위한 임금의 의도를 알아챘지요. 그래서 아무렇지 않은 표정으로 대답했어요.
>
> "같은 귤나무라도 강 남쪽에 심으면 귤이 열리지만, 강 북쪽에 심으면 탱자가 열린다고 합니다. 귤과 탱자는 모양은 비슷하지만 그 맛은 다르지요. 그 까닭은 물과 땅이 다르기 때문입니다. 제나라에서 태어나서 자란 사람들은 도둑질을 하지 않습니다. 그렇지만 제나라에서 태어났지만 초나라에서 자란 사람은 도둑질을 한 것을 보면 이것은 초나라의 물과 땅 때문이 아닌가 생각합니다."
>
> 안영의 말을 들은 초나라의 임금은 부끄러워 고개를 들 수가 없었답니다.
>
> *계략: 어떤 목적을 이루기 위해 남을 곤란에 빠뜨리려는 꾀나 수단.

① 결자해지   ② 삼한사온   ③ 과유불급

④ 귤화위지   ⑤ 아전인수

6 다음 상황에 어울리는 속담으로 알맞은 것에 ○표 하시오.

> 은지: 은서야, 너 이제 과자 좀 그만 먹어. 벌써 두 봉지째잖아.
>
> 은서: 싫어. 더 먹을 거야.
>
> 은지: 과자를 너무 많이 먹으면 몸에 안 좋으니까 그만 먹으라고.
>
> 은서: 언니는 지금 세 봉지째 먹고 있으면서 왜 나한테 그래?

(1) 오뉴월 장마에 토담 무너지듯   (   )

(2) 겨울바람이 봄바람보고 춥다 한다   (   )

1 다음 빈칸에 들어갈 알맞은 말에 ○표 하시오.

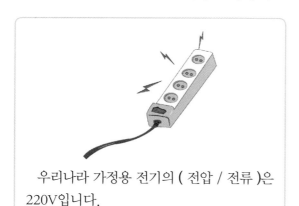

우리나라 가정용 전기의 (전압 / 전류)은 220V입니다.

2 다음 밑줄 그은 낱말이 잘못 쓰인 것은 무엇입니까? ·· (   )

① 그는 미술에 대한 조예가 깊다.
② 대화에서 가장 중요한 것은 경청이다.
③ 천둥과 번개를 동반한 비가 내리고 있다.
④ 동생이 내가 하는 일에 계속 훼방을 놓고 있다.
⑤ 철, 구리, 흑연 등은 전기가 잘 흐르는 부도체이다.

3 다음 뜻에 알맞은 낱말을 보기 에서 골라 쓰시오.

보기
| 건기 | 기온 | 기상 | 우기 |

(1) 공기의 온도.

(   )

(2) 바람, 비, 구름, 눈, 무지개와 같은 대기 현상을 통틀어 일컫는 말.

(   )

4 다음 빈칸에 들어갈 알맞은 말은 무엇입니까? ·· (   )

‘   ’(이)라는 사자성어는 ‘우레 소리에 맞춰 함께한다’는 뜻으로, 줏대 없이 그저 남의 의견대로 따라가는 것을 이르는 말이다.

① 임기응변   ② 청천벽력
③ 허심탄회   ④ 부화뇌동
⑤ 사면초가

5 다음 그림을 보고 빈칸에 들어갈 말은 무엇인지 쓰시오.

(1) 수업 시간에는 선생님의 말씀을 귀 기울여 듣는 ☐☐ 의 자세가 필요합니다.

(2) 수업 시간에 이야기를 하시는 선생님은 화자이고, 선생님의 이야기를 듣는 학생은 ☐☐ 입니다.

6 다음 속담의 뜻은 것은 무엇입니까? (　　　　)

> 말 한마디에 천 냥 빚도 갚는다

① 잘 아는 것도 꼼꼼하게 확인해야 한다.
② 별 볼 일 없어 보이는 사람도 재주 하나는 있다.
③ 자기의 허물은 생각하지 않고 도리어 남의 허물만 나무란다.
④ 말을 잘못하면 화를 입게 되니 말은 언제나 조심해야 한다.
⑤ 말을 공손하고 조리 있게 잘하면 어려운 일도 해결할 수 있다.

7 다음 설명과 관련된 말에 ○표 하시오.

(1) 어떠한 상황에 놓이다.

(처하다 / 처치하다)

(2) 전기 회로에서 두 개 이상의 전지나 전구를 한 줄로 연결하는 방법.

(직렬 / 병렬)

8 다음에서 설명하는 '이것'은 무엇입니까?

···(　　　　)

> • '이것'은 몸짓으로 하는 의사소통을 말한다.
> • 표정, 손짓, 시선, 자세 등도 '이것'에 포함된다.
> • '이것'은 언어적 표현을 더 분명하고 재미있게 해 주는 역할도 한다.

① 화자　② 청자　③ 담화
④ 언어　⑤ 비언어적 표현

9 ㉠과 ㉡에 들어갈 말이 알맞게 짝 지어진 것은 무엇입니까?·········(　　　　)

> 일기 예보란 앞으로의 ㉠ 를 예상하여 미리 알려 주는 것을 말합니다. 기상청에서는 일기 예보를 하기 위해 여러 가지 관측기구를 이용하여 ㉡ , 기압, 습도 등의 기상 요소를 관측합니다.

	㉠	㉡
①	날씨	건기
②	날씨	우기
③	날씨	기온
④	기후	기온
⑤	기후	기온

10 다음은 무엇에 대한 설명인지 알맞은 것끼리 선으로 이으시오.

(1) 낡거나 부서진 것을 고침.　•　•㉠ 소질

(2) 처한 상황이나 주어진 조건.　•　•㉡ 보수

(3) 본디부터 가지고 있는 타고난 재능.　•　•㉢ 여건

명언 플러스

내 사전에 불가능이란 없다

하지만 나폴레옹의 눈에는 그 숫자가 달라 보였지.

역시 남들과 다르게 생각하신다니까.

83,000명을 셋으로 나누면 삼만 명도 안되네. 나눠서 공격하면 되겠군!

지형과 지물을 익힌 그는 최고의 전략을 짜기 시작했지.

음......

천하의 나폴레옹이 프라첸을 선점하지 않는 실수를 하다니!

그는 아우스터리츠의 가장 중요한 지역인 프라첸 고지를 일부러 점령하지 않고 적을 유인한 뒤

와 와 와

프라첸 고지를 점령하고 남쪽으로 진격!

킥킥 걸려들었군!

남쪽으로 진격하는 것을 보고 고지를 탈환하여 적을 분리시켰지.

너흰 독 안에 든 쥐다!

이런. 포위됐네!

척 척 척

그의 계획대로 그는 전투를 승리로 이끌 수 있었어.

남쪽도 상황 끝!

어려운 전투를 앞두고 나폴레옹은 이렇게 말했지.

내 사전에 불가능이란 말은 없다.

아무리 어려운 일도 생각에 따라 결과가 다를 수 있다는 거지.

내 사전에 불가능은 없다! 공중부양 얍!

대박

사고 쑥쑥

1 ☐☐☐ 안에 들어갈 낱말과 사자성어를 말 상자에서 모두 찾아 ○표 하세요. 말 상자의 낱말과 사자성어는 가로, 세로, 대각선에 숨어 있습니다.

❶ 일 년 중 비가 많이 오는 시기를 ☐☐☐라고 한다.

❷ ☐☐☐는 '낡거나 부서진 것을 고치는 것'을 뜻한다.

❸ 구름과 구름, 구름과 대지 사이에서 전기가 흘러 번쩍이는 불꽃은 ☐☐☐라고 한다.

❹ ☐☐☐은 전기 회로에서 두 개 이상의 전지나 전구를 여러 줄로 나누어 연결하는 방법이다.

❺ 누구의 도움도 받을 수 없는 외롭고 곤란한 상황을 뜻하는 사자성어는 ☐☐☐☐ 이다.

건	회	우	기	구	절
교	보		지	청	법
사	조	수	근	병	
면	경	처	전	렬	국
초		평	재	방	보
가	인	번	개	이	거

2 다음 퀴즈에서 정답을 알아맞힐 수 있도록 설명에 해당하는 사자성어에 각각 ○표를 하세요.

ㄱ					
	간척	바다나 호수의 일부를 둑으로 막고, 육지로 만드는 것.	개척	거친 땅을 일구어 논이나 밭과 같이 쓸모 있는 땅으로 만듦.	37쪽
	건기	일 년 중 오랫동안 비가 내리지 않아 건조한 시기.	우기	일 년 중 비가 많이 오는 시기.	161쪽
	견주다	둘 이상의 사물을 어떤 것이 더 나은지 알기 위해 서로 대어 보다.	겨루다	누가 더 힘이 세거나 능력이 있는지 가리기 위해 맞서 싸우다.	73쪽
	경청	귀를 기울여 들음.	단절	어떤 대상과의 관계나 교류 등을 끊어 버림.	137쪽
	공유	두 사람 이상이 무엇인가를 함께 가짐.	향유	누리며 가지는 것.	115쪽
	공적	몸과 마음을 다하여 힘을 들이고 애를 써서 이루어 낸 일의 결과.	과실	조심을 하지 않거나 열심히 하지 않아서 생긴 잘못이나 실수.	155쪽
	관점	사물이나 현상을 관찰할 때 그 사람이 보고 생각하는 태도나 방향. 또는 처지.	논점	어떤 문제에 대하여 논의하는 과정에서 중심이 되는 문제점.	97쪽
	관측	눈이나 기계로 자연 현상을 관찰하여 어떤 사실을 알아내거나 예측하는 일.	관찰	사물의 움직임이나 상태를 주의 깊게 살펴보는 일.	25쪽
	기류	온도나 지형의 차이에 의해 일어나는 공기의 흐름.	기압	공기의 무게 때문에 나타나는 압력.	67쪽
	기온	공기의 온도.	기상	바람, 비, 구름, 눈 등과 같은 대기 현상을 통틀어 일컫는 말.	161쪽
	기체	모양과 부피가 일정하지 않고 공간에 널리 퍼지며, 손으로 만질 수 없는 물질.	공기	지구를 둘러싼 대기의 아래쪽을 구성하고 있는, 색과 냄새가 없는 기체.	67쪽
	기후	일정한 지역에서 여러 해에 걸쳐 나타나는 평균적인 날씨.	날씨	한 지역에서 그날그날의 비, 구름, 바람, 기온 따위가 나타나는 대기 상태.	161쪽
ㄴ	냉해	여름철에 기온이 낮거나 햇빛이 부족할 때 생기는 농작물의 피해.	고사	나무나 풀 따위가 말라 죽음.	79쪽
	노루잠	깊이 들지 못하고 자꾸 놀라 깨는 잠.	나비잠	갓난아이가 두 팔을 머리 위로 나비처럼 벌리고 자는 잠.	19쪽
ㄷ	담화	서로 이야기를 주고받음.	맥락	사건과 물건 등이 서로 관련되어 이어져 있는 관계.	137쪽
	대륙	바다로 둘러싸인 크고 넓은 땅.	대양	세계의 바다 가운데에서 아주 넓고 큰 바다.	121쪽
	대설	아주 많이 오는 눈.	한파	겨울철에 기온이 갑자기 내려가는 현상.	79쪽
	도체	철, 구리, 알루미늄, 흑연과 같이 전기가 잘 흐르는 물질.	부도체	종이, 비닐, 유리, 나무와 같이 전기가 잘 흐르지 않는 물질.	149쪽
	두각	뛰어난 학식이나 재능을 비유적으로 이르는 말.	조예	학식이나 예술, 기술 따위의 분야에 대한 지식이나 경험이 깊은 경지에 이른 정도.	155쪽
ㅁ	말귀	말이 뜻하는 내용. 또는 남이 하는 말의 뜻을 잘 알아듣는 능력.	말꼬리	한마디 말이나 한 차례 말의 맨 끝.	61쪽
	명료하다	뚜렷하고 분명하다.	간절하다	마음속에서 우러나와 바라는 정도가 매우 절실하다.	55쪽
	명암	밝음과 어두움을 통틀어 이르는 말.	음영	어두운 부분.	31쪽
ㅂ	반사	빛 등이 나아가다 어떤 물체에 부딪쳐 진행 방향이 꺾여 되돌아오는 현상.	굴절	빛 등이 나아가다 어떤 물체에 부딪쳤을 때 경계면에서 그 방향이 꺾이는 현상.	109쪽

반어	표현의 효과를 높이기 위해서 실제와 반대되는 뜻의 말을 하는 것.	반의	반대되는 뜻. 또는 뜻이 반대됨.	**97쪽**
방식	일정한 방법이나 형식. 동의어 법식	방안	일을 처리하거나 해결하여 나갈 방법이나 계획. 유의어 방책	**115쪽**
번개	구름과 구름, 구름과 땅 사이에서 전기가 흘러 번쩍이는 불꽃.	천둥	큰 소리와 함께 번개가 치는 것.	**149쪽**
변명	어떤 잘못이나 실수에 대하여 핑계를 대며 그 까닭을 말함.	설명	어떤 일이나 대상의 내용을 상대편이 잘 알 수 있도록 밝혀 말함.	**61쪽**
보호	위험한 상황에 놓이지 않도록 잘 보살피고 돌봄.	보수	낡거나 부서진 것을 고침.	**143쪽**
본초 자오선	지구의 경도를 결정하는 데 기준이 되는 선. (경도 0°)	날짜 변경선	대략 경도 180°의 선을 따라 남극과 북극을 잇는 경계선.	**121쪽**
볼록 렌즈	가운데 부분이 가장자리보다 두꺼운 렌즈.	오목 렌즈	가운데가 얇고 가장자리로 갈수록 두꺼워지는 렌즈.	**109쪽**
부피	넓이와 높이를 가진 물건이 공간에서 차지하는 크기.	무게	물건의 무거운 정도.	**67쪽**
북반구	적도를 경계로 지구를 둘로 나누었을 때의 북쪽 부분.	남반구	적도를 경계로 지구를 둘로 나누었을 때의 남쪽 부분.	**121쪽**
비등비등	여럿이 서로 엇비슷하다.	천차만별	많은 사람들이나 사물들이 모두 차이가 있다.	**73쪽**
비유	어떤 것을 비슷한 성질이나 모양에 빗대어 나타내는 것.	상징	일정한 형태와 성질이 없어서 표현하기 힘든 개념을 구체적인 사물로 대신 나타내는 것.	**13쪽**
사리	국수, 실 따위의 뭉치를 세는 단위.	꾸러미	꾸리어 싼 물건을 세는 단위.	**103쪽**
산소	공기를 이루는 것으로 사람이 숨을 쉴 때 들이마시는 기체.	이산화 탄소	물질이 탈 때 생기는 색깔과 냄새가 없는 기체.	**67쪽**
산지	들이 적고 산이 많은 지대.	노지	지붕 따위로 덮거나 가리지 않은 땅.	**37쪽**
새다	날이 밝아 온다는 뜻.	새우다	잠을 자지 않고 지냈다는 뜻.	**19쪽**
선잠	깊이 들지 못하거나 만족하게 이루지 못한 잠.	단잠	아주 달게 깊이 자는 잠.	**19쪽**
소질	본디부터 가지고 있는 타고난 성질. 또는 타고난 능력이나 재능.	재간	어떤 일을 할 수 있는 재주와 솜씨. 또는 어떠한 수단이나 방법.	**155쪽**
수면	잠을 자는 일.	숙면	잠이 깊이 듦.	**19쪽**
쌈	바늘을 묶어 세는 단위.	필	일정한 길이로 말아 놓은 천을 세는 단위.	**103쪽**
얇다	두께가 두껍지 아니하다.	가늘다	굵기가 보통의 경우에 미치지 못하고 짧다.	**73쪽**
양달	볕이 바로 드는 곳.	응달	볕이 잘 들지 아니하는 그늘진 곳.	**31쪽**
언어적 표현	의사소통 과정에서 음성이나 문자로 생각이나 느낌을 나타내는 것.	비언어적 표현	의사소통 과정에서 언어가 아닌 몸짓, 표정 등으로 생각이나 느낌을 나타내는 것.	**137쪽**
여건	처한 상황이나 주어진 조건.	재건	무너진 것을 다시 세움.	**143쪽**
역량	어떤 일을 해낼 수 있는 힘.	기능	하는 구실이나 작용을 함. 또는 그런 것.	**155쪽**
온대 기후	열대 기후보다 기온이 낮은 기후. 사계절이 뚜렷함.	한대 기후	일 년 내내 평균 기온이 매우 낮은 기후. 평균 기온이 가장 높은 달도 10℃보다 낮음.	**161쪽**
우박	공기 속에 있던 큰 물방울들이 갑자기 찬 기운을 만나서 얼음덩어리가 되어 떨어지는 것.	서리	기온이 낮아지면서 공기에 있던 수증기가 물체나 땅에 닿아 눈가루같이 얼어붙은 것.	**79쪽**
우월하다	다른 것보다 낫다.	초월하다	어떠한 한계나 표준을 뛰어넘다.	**73쪽**
운율	시에서 노래하는 듯한 느낌이 나는 가락.	심상	시를 읽을 때 마음속에 떠오르는 모양, 소리, 맛, 촉감 등의 감각적인 모습이나 느낌.	**13쪽**

	원관념	비유법에서 설명하려고 하는 원래의 대상.	보조 관념	비유법에서 원관념을 설명하기 위해 가지고 온 대상.	**13쪽**
	위도	지구 위의 위치를 나타내는 좌표축 중에서 가로로 된 것.	경도	지구 위의 위치를 나타내는 좌표축 중에서 세로로 된 것.	**121쪽**
	유성	혜성에서 떨어져 나온 부스러기 등이 지구가 끌어당기는 힘에 의해 대기권으로 들어와 타면서 빛을 내는 것. 별똥별.	위성	행성의 주위를 돌고 있는 천체.	**25쪽**
	은유	은근히 숨긴 채 빗대어 나타내는 것.	직유	나타내고자 하는 것을 비슷한 사물에 직접 빗대어서 표현하는 것.	**13쪽**
	인용	남의 말이나 글을 자신의 말이나 글 속에 끌어 씀.	출처	사물이나 말 따위가 생기거나 나온 근거.	**97쪽**
	일식	달이 태양을 가려서 낮에도 어두워지는 현상.	월식	달이 지구의 그림자에 가려지는 현상.	**25쪽**
ㅈ	자전	어떤 것이 스스로 도는 것.	공전	별, 행성, 인공위성 등의 한 천체가 다른 천체 주위를 일정한 길을 따라 도는 것.	**25쪽**
	잔말	하지 않아도 될 말을 자꾸 쓸데없이 늘어놓는 말.	잔소리	필요 이상으로 듣기 싫게 꾸짖거나 참견함. 또는 그런 말.	**61쪽**
	장마	여름에 여러 날 동안 계속해서 비가 내리는 것이나 그 비.	호우	줄기차게 내리는 크고 많은 비.	**79쪽**
	쟁점	서로 다투는 중심이 되는 점.	공약	선거에 출마한 후보자가 자신이 당선되면 어떤 일을 하겠다고 약속하는 것.	**55쪽**
	전류	전기의 이동이나 흐름.	전압	전기의 흐름에 가해지는 압력의 정도.	**149쪽**
	지양	더 높은 단계로 오르기 위하여 어떠한 것을 하지 아니함.	지향	어떤 목표로 뜻이 쏠리어 향함.	**115쪽**
	직렬	전기 회로에서 두 개 이상의 전지나 전구를 한 줄로 연결하는 방법.	병렬	전기 회로에서 두 개 이상의 전지나 전구를 여러 줄로 나누어 연결하는 방법.	**149쪽**
	쬐다	볕이 들어 비치다. 볕이나 불기운 따위를 몸에 받다.	죄다	느슨하거나 헐거운 것을 단단하거나 팽팽하게 하다.	**31쪽**
ㅊ	참신하다	새롭고 산뜻하다.	식상하다	같은 일이 되풀이되어 싫증이 나다.	**97쪽**
	채	집을 세는 단위.	척	배를 세는 단위.	**103쪽**
	처하다	어떠한 상황에 놓이다.	처치하다	일을 처리하다. 상처를 치료하다.	**143쪽**
ㅌ	토론	어떤 문제에 대해 찬성과 반대의 의견을 말하며 논의하는 것.	토의	어떤 문제에 대한 가장 좋은 해결 방법을 찾기 위해 여럿이 함께 의논하는 것.	**61쪽**
	톨	밤이나 곡식의 낱알을 세는 단위.	벌	옷을 세는 단위.	**103쪽**
	투시	막힌 물체의 속을 환히 꿰뚫어 봄.	투명	속까지 환히 들여다보일 정도로 맑음.	**109쪽**
ㅍ	평야	평평하고 넓은 땅.	임야	숲과 들을 아울러 이르는 말.	**37쪽**
ㅎ	하천	강과 시내를 함께 이르는 말.	해안	바다와 땅이 맞닿아 있는 곳.	**37쪽**
	해설	문제나 사건의 내용 따위를 알기 쉽게 풀어서 설명함.	연설	여러 사람 앞에서 자기의 주장 또는 의견을 말함.	**55쪽**
	현미경	아주 작은 물체를 크게 확대하여 보는 기구.	망원경	멀리 있는 물체를 크게 정확하게 보는 기구.	**109쪽**
	형광	반딧불이의 꽁무니에서 나오는 밝은 빛. 특정한 물체에서 나는 형형색색의 빛.	야광	어둠 속에서 빛을 냄. 또는 그런 물건.	**31쪽**
	호소력	강한 인상을 주어 마음을 사로잡을 수 있는 힘.	집중력	마음이나 주의를 집중할 수 있는 힘.	**55쪽**
	화자	이야기를 하는 사람.	청자	이야기를 듣는 사람.	**137쪽**
	활성화	어떤 것의 기능이 활발함. 또는 그러한 기능을 활발하게 함.	현대화	지금 시대에 맞게 바꿈.	**115쪽**
	훼손	헐거나 깨뜨려 못 쓰게 만듦.	훼방	남의 일을 방해함.	**143쪽**

가슴에 새기다	어떤 것을 잊지 않게 단단히 마음에 기억하다.	14쪽
갑론을박	여러 사람이 서로 자신의 주장을 내세우며 상대편의 주장을 반박함.	63쪽
군계일학	많은 사람 가운데 뛰어난 인물.	157쪽
귀가 얇다	남의 말을 쉽게 받아들인다.	56쪽
귤화위지	환경에 따라 사람이나 사물의 성질이 변한다는 말.	163쪽
금수강산	아름다운 우리나라의 자연.	39쪽
동상이몽	겉으로는 같이 행동하면서도 속으로는 각각 딴생각을 하고 있음을 이르는 말.	21쪽
떠오르는 별	어떤 분야에 새로이 등장하여 뛰어난 재능을 나타내는 사람을 비유적으로 이르는 말.	26쪽
막상막하	수준이나 실력이 비슷하여 차이가 거의 없는 경우를 뜻하는 말.	75쪽
망망대해	한없이 크고 넓은 바다.	39쪽
머릿속에 그리다	떠올려서 그림을 그리듯이 마음속으로 생각하다.	14쪽
모순	어떤 사실의 앞뒤, 또는 두 사실이 이치상 어긋나서 서로 맞지 않음을 이르는 말.	99쪽
바람을 넣다	남을 부추겨서 무슨 행동을 하려는 마음이 생기게 만들다.	69쪽
바람을 쐬다	기분 전환을 위하여 바깥이나 딴 곳을 거닐거나 다니다.	69쪽
별 볼 일 없다	대단하지 않고 하찮다.	26쪽
부화뇌동	'우레 소리에 맞춰 함께한다'는 뜻으로 줏대 없이 그저 남의 의견대로 따라가는 것을 이르는 말.	151쪽
비몽사몽	완전히 잠이 들지도 잠에서 깨어나지도 않은 어렴풋한 상태.	21쪽
빛을 발하다	제 능력이나 값어치를 드러내다.	33쪽
빛이 보이다	해결할 방법이나 실마리가 생기다.	33쪽
사대주의	주체성이 없이 세력이 강한 나라나 사람을 받들어 섬기는 태도.	117쪽
사면초가	누구의 도움도 받을 수 없는 외롭고 곤란한 상황.	145쪽
사족	쓸데없는 군짓을 하여 도리어 일을 망치는 것을 이르는 말.	99쪽
삼한사온	3일간 춥고 4일간 따뜻하다는 의미로 주로 우리나라를 포함한 동부아시아의 겨울철에 나타나는 날씨 주기의 특징.	163쪽
색안경을 쓰다	좋지 않은 생각이나 감정을 가지고 상대를 대하다.	111쪽
세상에 서다	세상에 나가 제구실을 톡톡히 해내거나 상당한 지위에 올라서다.	123쪽
세상을 등지다	사회와 인연을 끊고 세상 사람들과 어울리지 않고 살아가다.	123쪽
수가 달리다	말이나 행동에서 상대편에게 약점을 잡히거나 상대편보다 못하다.	105쪽
오매불망	사랑하는 사람을 그리워하여 잠 못 드는 것.	15쪽
온고지신	옛것을 익혀서 그것을 바탕으로 새로운 것을 앎.	117쪽
우문현답	어리석은 질문에 현명하게 대답하는 것.	63쪽
유유자적	현실의 세상을 떠나 아무 속박 없이 조용하고 편안하게 사는 삶.	15쪽
일목요연	한 번 보고 대번에 알 수 있을 만큼 분명하고 뚜렷하다.	57쪽
일촉즉발	당장이라도 큰일이 벌어질 것 같은 아슬아슬하고 위험한 상황.	145쪽
임기응변	그때그때 처한 상황에 맞추어 즉시 그 자리에서 일을 결정하거나 처리함.	139쪽
재덕겸비	재주와 어질고 너그러운 행동을 함께 갖춤.	157쪽
제 눈에 안경	보잘것없는 물건이라도 제 마음에 들면 좋게 보인다는 말.	111쪽
주먹을 불끈 쥐다	주먹을 꼭 쥐며 무엇에 대한 굳은 마음과 결심을 나타내다.	56쪽
천양지차	다름의 정도가 매우 큰 경우를 뜻하는 말.	75쪽
천재지변	지진이나 홍수, 태풍 따위의 자연 현상으로 인한 재앙.	80쪽
청천벽력	맑게 갠 하늘에서 치는 벼락. 뜻밖에 일어난 불운이나 큰 사고를 이르는 말.	151쪽
풍비박산	산산이 부서지거나 사방으로 날아 흩어짐.	80쪽
한 치 앞을 못 보다	시력이 좋지 못하여 가까이 있는 것도 보지 못하다.	105쪽

허심탄회	품은 생각을 터놓고 말할 만큼 아무 거리낌이 없고 솔직함.	**139쪽**
횡설수설	앞뒤가 들어맞지 않게 말을 이러쿵저러쿵하다.	**57쪽**

속담

가물에 콩 나듯	어떤 일이나 물건이 어쩌다 하나씩 드문드문 있는 경우.	**81쪽**
개천에서 용 난다	시원찮은 환경이나 변변찮은 부모에게서 빼어난 인물이 나는 경우.	**38쪽**
겨울바람이 봄바람보고 춥다 한다	자기의 허물은 생각하지 않고 남의 허물만 나무라는 경우.	**162쪽**
공든 탑이 무너지랴	열심히 한 일은 그 결과가 반드시 헛되지 않고 보람이 있다.	**144쪽**
구슬이 서 말이라도 꿰어야 보배	아무리 훌륭하고 좋은 것이라도 다듬고 정리하여 쓸모 있게 만들어 놓아야 값어치가 있다.	**104쪽**
군자도 시속을 따른다	어떤 사람이라도 시대적 풍습을 따라가야 한다는 뜻의 속담.	**116쪽**
굼벵이도 구르는 재주가 있다	아무리 별 볼 일 없어 보이는 사람도 재주 하나는 있기 마련이다.	**156쪽**
굽은 지팡이는 그림자도 굽어 비친다	제 본디의 모습이 좋지 아니한 것은 아무리 하여도 숨기지 못한다.	**110쪽**
내 코가 석 자	내 사정이 급해서 남을 돌볼 여유가 없다.	**104쪽**
달도 차면 기운다	세상의 모든 것이 한 번 잘되면 다시 잘 안될 수도 있다는 말.	**27쪽**
뛰는 놈 위에 나는 놈 있다	아무리 재주가 뛰어나다 하더라도 그보다 더 뛰어난 사람이 있다.	**156쪽**
말 안 하면 귀신도 모른다	마음속으로 애만 태우고 답답하게 있을 것이 아니라 무엇이든 시원스럽게 말로 표현해야 한다는 말.	**98쪽**
말 한마디에 천 냥 빚도 갚는다	말만 잘하면 어려운 일이나 불가능해 보이는 일도 해결할 수 있다는 말.	**138쪽**
말은 해야 맛이고 고기는 씹어야 맛이다	마땅히 할 말은 해야 한다는 말.	**62쪽**
바늘구멍으로 황소바람 들어온다	작은 것이라도 때에 따라서는 소홀히 하여서는 안 된다.	**68쪽**
반딧불로 별을 대적하랴	되지도 아니할 일은 아무리 억지를 부려도 이루어지지 못한다는 말.	**27쪽**
번개가 잦으면 천둥을 한다	어떤 일의 징조(조짐)가 자주 일어나면 반드시 그 일이 생긴다.	**150쪽**
벼락 치는 하늘도 속인다	속이려면 못 속일 것이 없음을 비유적으로 이르는 말.	**150쪽**
보기 좋은 떡이 먹기도 좋다	내용이 좋으면 겉모양도 좋음을 비유적으로 이르는 말.	**98쪽**
세상은 넓고도 좁다	멀리 떨어져 있는 곳에서 우연히 아는 사람을 만나는 경우.	**122쪽**
손가락도 길고 짧다	같은 조건에 있다고 하더라도 조금씩은 서로 차이가 있다.	**74쪽**
어제 다르고 오늘 다르다	어떤 것이 달라져 변화하는 속도가 매우 빠르다.	**122쪽**
여우볕에 콩 볶아 먹는다	행동이 매우 재빠르고 날쌘 것을 비유적으로 이르는 말.	**32쪽**
열흘 굶어 군자 없다	아무리 착한 사람이라도 몹시 궁하게 되면 못하는 짓이 없게 된다.	**116쪽**
오뉴월 장마에 토담 무너지듯	힘없이 내려앉음을 비유적으로 이르는 말.	**162쪽**
옥석도 닦아야 빛이 난다	아무리 소질이 좋아도 잘 닦고 기르지 않으면 훌륭한 것이 되지 못한다.	**110쪽**
입이 열 개라도 할 말이 없다	잘못이 명백히 드러나 변명할 말이 없음을 비유적으로 이르는 말.	**62쪽**
자는 벌집 건드린다	그대로 가만히 두었으면 아무 탈이 없을 것을 아무 까닭 없이 건드려 문제를 일으킴을 비유적으로 이르는 말.	**20쪽**
자다가 봉창 두드린다	뜻밖의 일이나 말을 갑자기 불쑥 내미는 행동.	**20쪽**
장마에 오이 굵듯	좋은 기회나 환경을 만나 무럭무럭 잘 자라는 경우.	**81쪽**
제 논에 물 대기	자기에게만 이롭게 일을 하는 경우를 비유적으로 이르는 말.	**38쪽**
제집 연기는 남의 집 연기보다 낫다	대단하거나 중요하지 않은 것이라도 정든 것이 좋다는 말.	**68쪽**
쥐구멍에도 볕 들 날 있다	지금 당장은 힘들어도 언젠가는 좋은 날이 있을 것이라는 뜻.	**32쪽**
콩이야 팥이야 한다	중요하지 않은 일을 가지고 서로 옳다고 말다툼을 하는 경우.	**74쪽**
하늘이 무너져도 솟아날 구멍이 있다	아무리 어려운 일에 부딪혀도 해결할 수 있는 희망은 반드시 있다.	**144쪽**
혀 아래 도끼 들었다	말을 잘못하면 나쁜 일이 일어날 수 있으니 말을 조심해야 한다는 말.	**138쪽**

매일매일 쌓이는 국어 기초력

똑똑한 하루

독해&어휘&글쓰기

공부 습관 형성

10분이면 하루치 공부를 마칠 수
있어서 아이들 스스로 쉽게
학습할 수 있도록 구성

국어 기초력 향상

어휘는 물론 독해에서 글쓰기까지
초등 국어 전 영역을 책임지는
완벽한 커리큘럼으로 국어 기초력 향상

재미있는 놀이 학습

꼭 필요한 상식과 함께
창의적 사고력 확장을 돕는
게임 형식의 구성으로 즐겁게 학습

쉽다! 재미있다! 똑똑하다! 똑똑한 하루 시리즈
예비초~6학년 각 A·B (14권)

똑똑한
하루
어휘

정답과 풀이

6 단계 **A**
5~6학년

천재교육

정답과 해설
포인트 3가지

▶ 혼자서도 이해할 수 있는 친절한 어휘 풀이

▶ 배운 어휘는 물론 참고 어휘, 보충 어휘까지 자세한 해설

▶ 비슷한말, 반대말, 포함 어휘까지 관계 어휘를 풍부하게 제시

1주에는 무엇을 공부할까?

1 (2) ○
2 ①

3 주연
4 재빠른

1일 교과 어휘>국어

1 상징
2 (1) ① (2) ② (3) ②
3 (1) ㉡, ㉢, ㉧ (2) ㉠, ㉣, ㉣
4 운율
5 ①
6 (2) ○

1 일정한 형태와 성질이 없어서 표현하기 힘든 개념을 구체적인 사물로 대신 나타내는 것을 '상징'이라고 합니다.

2 '은유'는 은근히 숨긴 채 빗대어 나타내는 것, '직유'는 나타내고자 하는 것을 비슷한 사물에 직접 빗대어서 표현하는 것입니다. 은유는 '○○은 ○○이다'와 같은 표현으로 나타내고, 직유는 '~처럼', '~같이', '~듯이'와 같은 표현으로 나타냅니다.

3 비유법에서 설명하려고 하는 원래의 대상이 원관념이고, 원관념을 설명하기 위해 가지고 온 대상이 보조 관념입니다.

4 시에서 노래하는 듯한 느낌이 나는 가락을 '운율'이라고 합니다. '심상'은 시를 읽을 때 마음속에 떠오르는 빛깔, 모양, 소리, 냄새, 맛, 촉감 등의 감각적인 모습이나 느낌입니다.

5 현실의 세상을 떠나 조용하고 편안하게 사는 삶을 뜻하는 '유유자적'이 어울립니다.

6 떠올려서 그림을 그리듯이 마음속으로 생각한다는 뜻인 '머릿속에 그리다'가 들어가는 것이 알맞습니다.

2일 생활 어휘

1 (2) ×
2 (1) ② (2) ①
3 ②
4 (1) 수면 (2) 숙면
5 ③
6 (1) ○

1 '숙면'은 잠이 깊이 든다는 뜻이고, 나머지는 깊이 들지 못하거나 만족하게 이루지 못한 잠을 뜻하는 낱말입니다.

2 노루가 작은 소리만 나도 잠에서 깨는 것처럼 깊이 들지 못하고 자꾸 놀라 깨는 잠을 '노루잠'이라고 하고, 갓난아이가 두 팔을 머리 위로 나비처럼 벌리고 자는 잠을 '나비잠'이라고 합니다.

3 날이 밝아 온다는 뜻은 '새다'로 '날이 새다', '밤이 새다'와 같이 목적어 없이 쓰입니다. 잠을 자지 않고 지냈다는 뜻은 '새우다'로 '밤을 새우다'와 같이 쓰입니다.

4 잠을 자는 일은 '수면', 잠이 깊이 드는 것은 '숙면'입니다.

5 주민들은 공터를 개발한다는 소식에 대해서 모두 각자 다른 생각을 하고 있습니다. 이런 상황에 어울리는 사자성어는 겉으로는 같이 행동하면서도 속으로는 각각 딴생각을 하고 있다는 뜻의 '동상이몽'입니다.

6 가만히 잘 자는 동생의 콧구멍을 간질였다가 동생이 휘두른 팔에 머리를 맞은 상황이므로 그대로 두었으면 아무 탈이 없을 것을 아무 까닭 없이 건드려 문제를 일으킨다는 뜻의 '자는 벌집 건드린다'가 어울립니다. '자다가 봉창 두드린다'는 뜻밖의 일이나 말을 갑자기 불쑥 내미는 행동을 비유적으로 이르는 말입니다.

3일 교과 어휘 > 과학

> 1 (1) 자전 (2) 자전 (3) 공전　　2 ④
> 3 유성　　4 ❶ 관찰 ❷ 예측　　5 (1) ○
> 6 ④　　7 (2) ○

1 어떤 것이 스스로 도는 것은 '자전'입니다. 지구가 하루에 한 바퀴씩 서쪽에서 동쪽으로 도는 것은 지구의 자전이고, 지구가 일 년에 한 바퀴씩 태양 주위를 도는 것은 지구의 공전입니다.

2 달이 태양을 가려서 낮에도 어두워지는 현상은 '일식'입니다. '월식'은 달이 지구의 그림자에 가려지는 현상입니다.

3 하늘에서 유성이 떨어지는 그림이 제시되어 있습니다. 혜성에서 떨어져 나온 부스러기 등이 지구가 끌어당기는 힘에 의해 대기권으로 들어와 타면서 빛을 내는 것은 '유성'입니다. 유성은 다른 말로 '별똥별'이라고도 불립니다.

4 '관측'은 눈이나 기계로 자연 현상을 관찰하여 어떤 사실을 알아내거나 예측하는 일을 뜻하는 낱말입니다.

5 김은서 선수가 초등부 여자 축구에서 재능을 나타낸다는 내용의 신문 기사이므로 '떠오르는 별'이 들어가야 알맞습니다. '별 볼 일 없다'는 대단하지 않고 하찮다는 뜻의 관용어이므로 알맞지 않습니다.

6 '달도 차면 기운다'는 세상의 모든 것이 한 번 잘되면 다시 잘 안될 수도 있다는 뜻의 속담이므로 늘 1등만 하던 친구가 1등을 하지 못한 상황에 쓸 수 있습니다.

7 '반딧불로 별을 대적하랴'는 반딧불이 아무리 밝아도 별만큼 밝지 못하므로 별에 견줄 수 없다는 뜻으로, 되지 않을 일은 아무리 억지를 부려도 이루어지지 못한다는 말입니다.

4일 생활 어휘

> 1 ③　　2 응달　　3 ②
> 4 야광　　5 ②　　6 ④

1 '명암'은 明(밝을 명) 자와 暗(어두울 암) 자로 이루어진 낱말로, 밝음과 어두움을 통틀어 이르는 말입니다.

2 '양달'은 볕이 바로 드는 곳을 뜻하는 낱말이고, '응달'은 볕이 잘 들지 않는 그늘진 곳을 뜻하는 낱말이므로 문제에 제시된 사진에서 화살표가 가리키는 부분은 '응달'에 해당합니다.

3 볕이 들어 비친다는 뜻과 볕이나 불기운 따위를 몸에 받는다는 뜻의 '쬐다'가 들어가야 합니다. '쬐다'는 '햇볕을 쬐다', '모닥불을 쬐다'와 같이 쓰입니다. '죄다'는 '나사를 죄다'와 같이 쓰여서 느슨하거나 헐거운 것을 단단하거나 팽팽하게 한다는 뜻입니다.

4 어둠 속에서 빛을 낸다는 뜻이나 그런 물건을 뜻하는 낱말은 '야광'입니다. 야광은 밝을 때 빛을 흡수했다가 어두울 때 그 빛을 밖으로 내보내는 것입니다. '형광'은 반딧불이의 꽁무니에서 나오는 밝은 빛을 뜻하는 말로 특정한 물체에서 나는 형형색색의 빛을 뜻하기도 합니다.

5 10년 동안 열심히 노력한 가수의 값어치가 인정받게 되었다는 내용이므로 제 능력이나 값어치를 드러낸다는 뜻의 '빛을 발하다'가 들어가는 것이 알맞습니다.

6 인기를 얻지 못한 힘든 날을 지나서 뒤늦게 인기를 얻게 된 가수의 이야기이므로 지금 당장은 힘들어도 언젠가는 좋은 날이 있을 것이라는 뜻의 속담인 '쥐구멍에도 볕 들 날 있다'가 가장 알맞습니다. '여우볕에 콩 볶아 먹는다'는 행동이 매우 재빠르고 날쌔다는 뜻입니다.

5일 교과 어휘 > 사회

1 (1) 하천 (2) 해안 　　　　2 노지
3 ①　　　　4

	①간	
②개	척	

5 (2) ○　　　　6 망망대해　　　　7 금수강산

1 '하천'은 강과 시내를 함께 이르는 말로 땅 위를 흐르는 크고 작은 물줄기를 뜻하고, '해안'은 바다와 땅이 맞닿아 있는 곳을 뜻합니다.

2 지붕 따위로 덮거나 가리지 않은 땅을 '노지'라고 합니다. 뒤에 이어지는 햇볕을 많이 받았다는 내용과 자음자를 통해서 '노지'가 들어간다는 것을 알 수 있습니다.

3 '임야'는 숲과 들을 아울러 이르는 말입니다. 평평하고 넓은 땅은 '평야', 들이 적고 산이 많은 지대는 '산지'입니다.

4 바다나 호수의 일부를 둑으로 막고, 육지로 만드는 것은 '간척', 거친 땅을 일구어 논이나 밭과 같이 쓸모 있는 땅으로 만드는 것은 '개척'입니다. '개척'은 새로운 영역이나 운명, 진로 따위를 처음으로 열어 나간다는 뜻도 가지고 있습니다.

5 마을 사람들이 저마다 자기에게 이로운 곳에 공원을 만들자고 말하고 있는 상황이므로, 자기에게만 이롭도록 일을 하는 경우를 비유적으로 이르는 속담인 '제 논에 물 대기'가 알맞습니다. '개천에서 용 난다'는 시원찮은 환경이나 변변찮은 부모에게서 빼어난 인물이 나는 경우를 이르는 속담이므로 알맞지 않습니다.

6 한없이 크고 넓은 바다를 뜻하는 '망망대해'가 들어가는 것이 알맞습니다.

7 아름다운 자연이 나타나 있으므로 '금수강산'이 알맞습니다.

1주 누구나 100점 TEST

1 (1) ② (2) ①　　　2 상징　　　　3 (2) ○
4 노루잠　　　　5 (1) 자전 (2) 공전
6 ①　　　　7 (2) ×　　　　8 ③
9 ③　　　　10 ①

1 '~처럼', '~같이', '~듯이'와 같은 표현으로 나타낸 것은 직유, '○○은 ○○이다'와 같은 표현으로 나타낸 것은 은유입니다.

2 일정한 형태와 성질이 없어서 표현하기 힘든 개념을 구체적인 사물로 대신 나타내는 것을 '상징'이라고 합니다.

3 잠을 자지 않고 지냈다는 뜻은 '새우다'입니다.

4 노루가 작은 소리만 나도 잠에서 깨는 것처럼 깊이 들지 못하고 자꾸 놀라 깨는 잠을 '노루잠'이라고 합니다.

5 지구가 하루에 한 바퀴씩 서쪽에서 동쪽으로 도는 것을 '지구의 자전'이라고 하고, 지구가 일 년에 한 바퀴씩 태양 주위를 도는 것을 '지구의 공전'이라고 합니다.

6 모든 것이 한 번 잘되면 다시 잘 안될 수도 있다는 뜻의 속담입니다.

7 '죄다'는 느슨하거나 헐거운 것을 단단하거나 팽팽하게 한다는 뜻의 낱말로, (2)는 '내 방에는 햇볕이 잘 쬐지 않는다.'라고 써야 합니다.

8 '쥐구멍에도 볕 들 날 있다'의 뜻이 나타나 있습니다.

9 땅 위를 흐르는 크고 작은 물줄기를 '하천'이라고 하고, 평평하고 넓은 땅을 '평야'라고 합니다.

10 '개천에서 용 난다'는 시원찮은 환경에서 빼어난 인물이 나는 경우를 이르는 속담입니다.

1주 특강 사고 쑥쑥

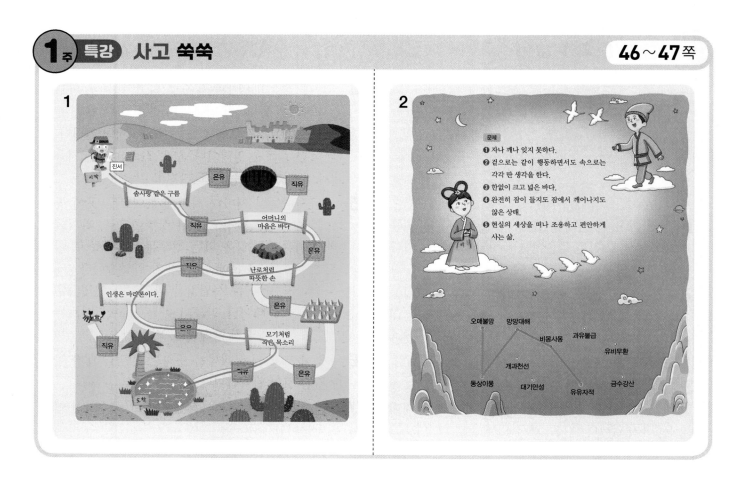

1주 특강 논리 탄탄

1 (1) 알맞게 이야기한 친구들을 다음 빙고 판에서 모두 찾아 ○표 하세요.

(2) 위 (1)번의 빙고 판에서 완성된 빙고는 모두 몇 줄인지 쓰세요.

(1)줄

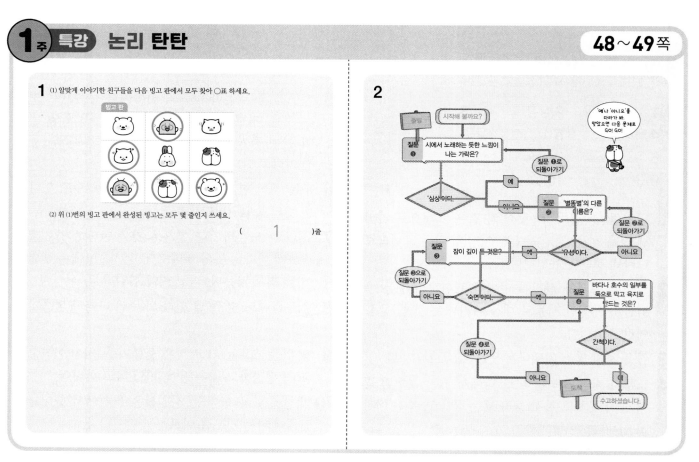

2주에는 무엇을 공부할까?

52~53쪽

1 ③

2 (2) ○

3 ③

4 솔이

1일 교과 어휘 > 국어

58~59쪽

1 (1) ① (2) ②　　　　　2 ④
3 (1) 호소력 (2) 집중력 (3) 호소력
4 (1) 간절 (2) 명료한　　　5 (1) ○
6 (1) ② (2) ①

1 문제나 사건의 내용 따위를 알기 쉽게 풀어서 설명하는 것은 '해설', 여러 사람 앞에서 자기의 주장 또는 의견을 말하는 것은 '연설'입니다.

2 학생회 회장 후보인 학생이 자신이 학생회 회장이 되면 어떤 일을 하겠다고 약속하는 내용이므로 '공약'에 해당합니다.

3 강한 인상을 주어 마음을 사로잡을 수 있는 힘은 '호소력', 마음이나 주의를 집중할 수 있는 힘은 '집중력'입니다.

4 마음속에서 우러나와 바라는 정도가 매우 절실한 것은 '간절하다', 뚜렷하고 분명하다는 것은 '명료하다'입니다.

5 당나귀를 팔러 가던 아버지와 아들이 다른 사람들의 말을 듣고 그대로 행동하다 당나귀를 잃은 내용이므로 남의 말을 쉽게 받아들인다는 뜻의 '귀가 얇다'가 어울립니다.

6 사자성어의 뜻을 알아 둡니다.

2일 생활 어휘

64~65쪽

1 잔소리　　　2 ①　　　3 ④
4 (1) ㉡, ㉣ (2) ㉠, ㉢　　5 ③
6 (1) 어리석은 (2) 현명하게　　7 (1) ○

1 필요 이상으로 듣기 싫게 꾸짖거나 참견하는 것을 뜻하는 '잔소리'가 들어가기에 알맞습니다.

2 '말귀'의 뜻입니다.

3 '변명'은 어떤 잘못이나 실수에 대하여 핑계를 대며 그 까닭을 말하는 것이므로 ④에는 '설명'이 들어가는 것이 알맞습니다.

4 토론은 어떤 문제에 대해 찬성과 반대의 의견을 말하며 논의하는 것이고, 토의는 어떤 문제에 대한 가장 좋은 해결 방법을 찾기 위해 여럿이 함께 의논하는 것입니다.

5 대형 반려견이 행인을 문 사건에 대하여 누리꾼들이 서로 자신의 주장을 내세우는 상황이 나타나 있으므로 여러 사람이 서로 자신의 주장을 내세우며 상대편의 주장을 반박한다는 뜻의 '갑론을박'이 알맞습니다.

6 사자성어의 뜻을 알아 둡니다. '우문현답'은 어리석은 질문에 현명하게 대답하는 것을 뜻하는 사자성어입니다.

7 동생의 과자를 몰래 먹고 안 먹었다고 거짓말을 했다가 들키게 된 상황이므로 잘못이 명백히 드러나 변명할 말이 없다는 뜻의 '입이 열 개라도 할 말이 없다'와 바꾸어 쓸 수 있습니다. '말은 해야 맛이고 고기는 씹어야 맛이다'는 마땅히 할 말은 해야 한다는 뜻의 속담입니다.

3일 교과 어휘 > 과학

1 기체 2 ⑤ 3 (1) 부피 (2) 무게
4 (1) ① (2) ② 5 ③ 6 ③
7 쐬러

1 물의 상태 변화가 나타나 있습니다. 물은 100℃에서 기체 상태로 변합니다.

2 이산화 탄소에 대한 설명입니다. 이산화 탄소는 물질이 탈 때 생기는 색과 냄새가 없는 기체로, 사람이 숨을 내쉴 때에도 나옵니다. 산소는 사람이 숨을 쉴 때 들이마시는 기체로 물질이 타는 데에 필요합니다.

3 물건이 공간에서 차지하는 크기는 '부피'이고, 물건의 무거운 정도는 '무게'입니다. 풍선은 돌보다 부피가 크고 무게는 가볍습니다.

4 '기압'은 공기의 무게 때문에 나타나는 압력이고, '기류'는 온도나 지형의 차이에 의해 일어나는 공기의 흐름입니다.

5 겨울철에 문틈으로 센 바람이 들어온다는 뜻의 '바늘구멍으로 황소바람 들어온다'가 알맞습니다. 이 속담은 작은 것이라도 때에 따라서는 소홀히 하여서는 안 됨을 비유적으로 이르는 말입니다.

6 '제집 연기는 남의 집 연기보다 낫다'는 대단하거나 중요하지 아니한 것이라도 정든 것이 좋다는 뜻의 속담입니다.

7 기분 전환을 위하여 바깥이나 딴 곳을 거닐거나 다닌다는 뜻의 관용어는 '바람을 쐬다'입니다. '바람을 넣다'는 남을 부추겨서 무슨 행동을 하려는 마음이 생기게 만든다는 뜻입니다.

4일 생활 어휘

1 (1) ① (2) ② 2 (1) ×
3 (1) 겨루어 (2) 비등비등
4 (1) 얇다 (2) 가늘다 5 ①
6 막상막하 7 ②

1 '우월하다'는 다른 것보다 낫다는 뜻의 낱말이고, '초월하다'는 어떠한 한계나 표준을 뛰어넘다는 뜻의 낱말입니다.

2 (1)은 '형은 나보다 영어 실력이 우월하다.'로 고쳐 써야 합니다.

3 ㉠에는 누가 더 능력이 있는지 가리기 위해 맞서 싸운다는 뜻의 '겨루다'가, ㉡에는 차이가 별로 없이 서로 엇비슷하다는 뜻의 '비등비등하다'가 들어가기에 알맞습니다. '견주다'는 둘 이상의 사물을 어떤 것이 더 나은지 알기 위해 서로 대어 본다는 뜻이고, '천차만별하다'는 많은 사람들이나 사물들이 모두 차이가 있다는 뜻입니다.

4 두께가 두껍지 않은 것은 '얇다', 굵기가 보통의 경우에 미치지 못하고 짧은 것은 '가늘다'입니다. 책과 같이 넓은 것의 두께는 '얇다'나 '두껍다'로 표현하고, 실과 같이 길고 둥근 것의 둘레는 '가늘다'나 '굵다'로 표현합니다.

5 해법초와 천재초의 실력이 비슷한 경기 상황이 나타나 있으므로 '막상막하'가 들어가기에 알맞습니다.

6 '도토리 키 재기'는 정도가 고만고만한 사람끼리 서로 다툰다는 뜻이므로 실력이 서로 비슷하여 차이가 없는 경우를 뜻하는 '막상막하'와 바꾸어 쓸 수 있습니다. '천양지차'는 하늘과 땅 사이와 같이 엄청난 차이라는 뜻으로 다름의 정도가 매우 큰 경우를 뜻하는 사자성어입니다.

7 중요하지 않은 일을 가지고 서로 다투는 상황이 나타나 있으므로 '콩이야 팥이야 한다'가 알맞습니다.

5일 교과 어휘 > 사회

1 서리	**2** (1) 대설 (2) 한파 (3) 한파	
3 ①	**4** ❶ 기온 ❷ 농작물	
5 ②	**6** ②	**7** (1) ◯

1 사진은 기온이 낮아지면서 공기에 있던 수증기가 물체나 땅에 닿아 눈가루같이 얼어붙은 '서리'입니다. '우박'은 공기 속에 있던 큰 물방울들이 갑자기 찬 기운을 만나서 얼음덩어리가 되어 떨어지는 것입니다.

2 '대설'은 아주 많이 오는 눈을 뜻하는 낱말이고 '한파'는 겨울철에 기온이 갑자기 내려가는 현상을 뜻하는 낱말입니다.

3 '호우'는 줄기차게 내리는 크고 많은 비를 뜻합니다. ②는 여우비, ③은 폭풍우, ④는 소나기, ⑤는 장마입니다.

4 첫 자음자와 뜻을 살펴봅니다. '냉해'는 여름철에 기온이 낮거나 햇빛이 부족할 때 생기는 농작물의 피해를 뜻합니다.

5 '가물에 콩 나듯'은 어떤 일이나 물건이 어쩌다 하나씩 드문드문 있는 경우를 비유적으로 이르는 속담이므로 밑줄 그은 부분은 흰머리가 별로 없다는 뜻입니다.

6 장마철에는 오이가 잠깐 사이에도 잘 자라듯이 좋은 기회나 환경을 만나 무럭무럭 잘 자라는 경우를 비유적으로 이르는 속담은 '장마에 오이 굵듯'입니다.

7 '풍비박산'은 산산이 부서지거나 사방으로 날아 흩어진다는 뜻입니다. 지진이나 홍수, 태풍 따위의 자연 현상으로 인한 재앙을 뜻하는 사자성어는 '천재지변'입니다.

2주 누구나 100점 TEST

1 ①	**2** (3) ×	**3** ①
4 (십자말풀이: ①변 / ②설 명)	**5** (1) 공기 (2) 산소	
	6 ④	
7 (1) 견주어 (2) 겨루어		**8** (1) ② (2) ①
9 고사	**10** ⑤	

1 선거에 출마한 후보자가 자신이 당선되면 어떤 일을 하겠다고 약속하는 것은 '공약'입니다.

2 '귀가 얇다'는 남의 말을 쉽게 받아들인다는 뜻이고, '주먹을 불끈 쥐다'는 무엇에 대한 굳은 마음과 결심을 나타낸다는 뜻입니다.

3 마땅히 할 말은 해야 한다는 뜻의 속담입니다.

4 어떤 잘못이나 실수에 대하여 구실을 대며 그 까닭을 말하는 것은 '변명', 어떤 일이나 대상의 내용을 상대편이 잘 알 수 있도록 밝혀 말하는 것은 '설명'입니다.

5 지구를 둘러싼 대기 아래쪽을 구성하는 기체는 '공기', 사람이 숨을 쉴 때 들이마시는 기체는 '산소'입니다.

6 제시된 내용은 '바늘구멍으로 황소바람 들어온다'의 뜻입니다.

7 '견주다'는 둘 이상의 사물을 어떤 것이 더 나은지 알기 위하여 서로 대어 본다는 뜻이고, '겨루다'는 누가 더 힘이 세거나 능력이 있는지 가리기 위해 맞서 싸운다는 뜻입니다.

8 비교와 관련된 사자성어인 '막상막하'와 '천양지차'의 뜻을 알아 둡니다.

9 한참 동안 비가 오지 않았다는 내용에 이어지므로 나무나 풀 따위가 말라 죽는다는 뜻의 '고사'가 들어가야 합니다.

10 '가물에 콩 나듯'은 어떤 일이나 물건이 어쩌다 하나씩 드문드문 있는 경우를 비유적으로 이르는 속담입니다.

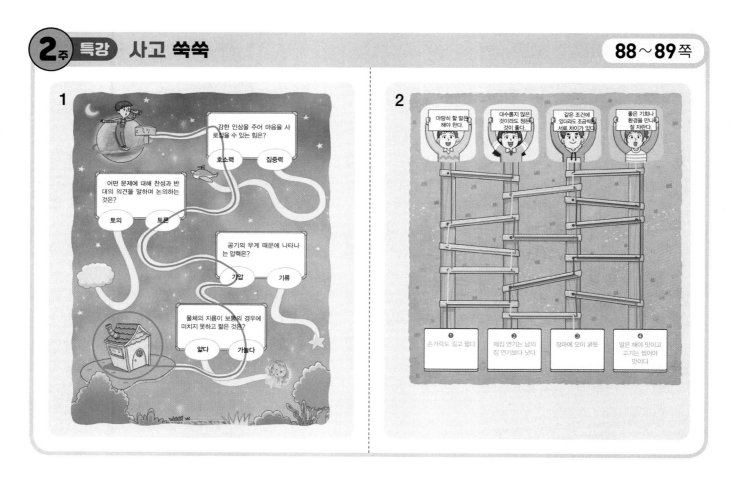

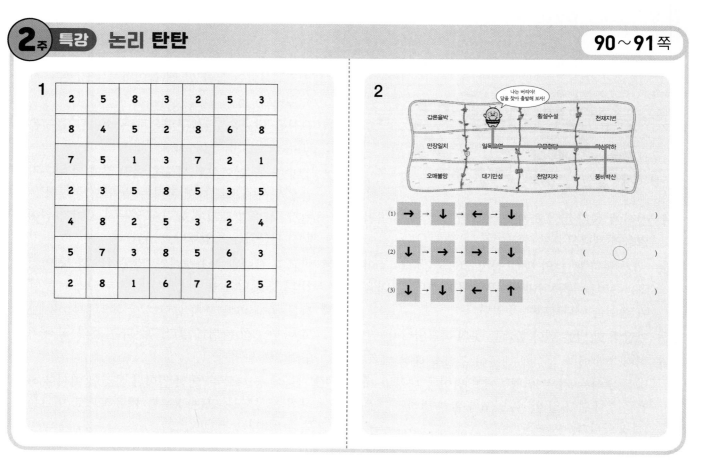

정답
과
풀이

3주에는 무엇을 공부할까?

1 (1) 지양 (2) 지향 (3) 지양

2 ③

3 모순

4 ②

1일 교과 어휘>국어

1 (1) 관점 (2) 반어 (3) 논점 (4) 반의

2 (1) 참가하다 (2) 놀랍다 　　　**3** ⑤

4 ④　　　　　**5** ②　　　　　**6** ④

7 ④

1 (1) 관점: 어떤 대상에 대해 생각하는 태도나 방향, 또는 처지.

(2) 반어: 실제와 반대되는 뜻의 말을 하는 것.

(3) 논점: 중심이 되는 문제점.

(4) 반의: 반대되는 뜻.

2 '참신하다'는 '새롭고 신선하다'의 뜻이므로 '참가하다'는 거리가 멀고, '식상하다'는 '같은 일이 되풀이되어 싫증이 나다'의 뜻이므로 '놀랍다'는 거

리가 멉니다.

3 ⑤는 '출처'가 알맞습니다.

4 집 안을 어질러 놓았으니 잘못하였다는 뜻인데 잘했다며 반대로 말하는 것은 반어적 표현입니다.

5 '사족'은 '화사첨족'의 준말로 있지도 않은 뱀의 발을 그려 오히려 일을 망친다는 뜻입니다.

6 '뱀의 발'을 뜻하는 '사족'은 없어도 좋을 군더더기를 이릅니다.

7 '보기 좋은 떡이 먹기도 좋다'라는 속담은 내용이 좋으면 겉모양도 좋다, 혹은 겉모양을 잘 꾸미는 것도 필요하다는 뜻이므로 겉모습의 중요성을 강조한 속담입니다.

2일 생활 어휘

1 (1) 척 (2) 사리 (3) 쌈 (4) 벌　　**2** 채

3 ③　　　　　**4** ④　　　　　**5** ①

6 (1) ○　　　　**7** (1) ① (2) ②

1 물건을 보고 세는 말을 생각해 봅니다.

2 집, 가마, 이불 따위를 세는 말은 '채'입니다.

3 밤이나 곡식의 낱알을 세는 단위는 '톨'입니다.

4 ④ 비단 한 필로 고운 한복을 만들었다.

5 〈속담의 뜻〉

② 우물 안 개구리: 넓은 세상의 형편을 알지 못하는 사람. 보고 들은 것, 배운 것이 없어서 저만 잘난 줄로 아는 사람.

③ 굼벵이도 구르는 재주가 있다: 아무리 능력이 없는 사람도 한 가지 재주는 있다.

④ 서당개 삼 년에 풍월 읊는다: 어떤 분야에 대하여 지식과 경험이 전혀 없는 사람이라도 그 부문에 오래 있으면 얼마간의 지식과 경험을 갖게 된다.

⑤ 구슬이 서 말이라도 꿰어야 보배: 아무리 훌륭하고 좋은 것이라도 다듬고 정리하여 쓸모 있게 만들어 놓아야 값어치가 있다.

6 '벼 이삭은 익을수록 고개를 숙인다'는 교양이 있고 수양을 쌓은 사람일수록 겸손하고 남 앞에서 자기를 내세우려 하지 않는다는 뜻입니다.

7 관용어의 뜻을 생각해 봅니다.

3일 교과 어휘 > 과학

1 (1) 오목 (2) 굴절　　**2** 반사
3 투명　　　　　　　　**4** (1) ② (2) ①
5 ①　　　　　　　　　**6** ⑤
7 (1) ○

1 가운데가 얇고 가장자리로 갈수록 두꺼워지는 오목 렌즈를 통하여 빛이 꺾이는 굴절 현상을 실험한 사진입니다. 볼록 렌즈는 가운데 부분이 가장자리보다 두껍게 생긴 렌즈입니다.

2 빛이 거울에 부딪쳐 되돌아오는 모습이므로 '반사'가 알맞습니다.

3 빈칸에는 속까지 환히 들여다보일 정도로 맑다는 뜻의 '투명'이 들어가는 것이 알맞습니다. '투시'는 막힌 물체의 속을 환히 꿰뚫어 본다는 뜻의 낱말입니다.

4 현미경은 아주 작은 물체를 확대하여 보는 기구이고, 망원경은 멀리 있는 물체를 크고 정확하게 볼 수 있도록 만든 기구입니다.

5 다른 사람들이 이미 마음에 있는 다른 생각을 가지고 자신을 대한다는 내용이므로 '색안경을 끼다'가 들어가는 것이 알맞습니다.

6 '제 눈에 안경'은 보잘것없는 물건이나 사람이라도 제 마음에 들면 좋게 보인다는 뜻의 관용어입니다.

7 아무리 소질이 좋아도 잘 닦고 기르지 않으면 훌륭한 것이 되지 못한다는 뜻의 '옥석도 닦아야 빛이 난다'가 알맞습니다. '굽은 지팡이는 그림자도 굽어 비친다'는 제 본디의 모습이 좋지 아니한 것은 아무리 하여도 숨기지 못한다는 뜻의 속담입니다.

4일 생활 어휘

1 (1) 지향 (2) 지양 (3) 방식 (4) 공유
2 ②　　　　　　　**3** (1) 방안 (2) 공유 (3) 지양
4 (1) 현대화 (2) 활성화　**5** ③
6 (1) ③ (2) ②　　　　**7** ㉢

1 더 높은 단계로 가기 위해 어떤 일을 하지 않을 때 '지양'을 사용하고, 어떤 곳으로 쏠리어 향할 때 '지향'을 씁니다. '친구가 운동하는 방식', '컴퓨터를 가족 모두가 공유'와 같이 써야 알맞은 표현이 됩니다.

2 옛것을 바탕으로 새로운 것을 안다는 뜻의 사자성어는 '온고지신'입니다.

3 일을 처리하여 해결해 나갈 계획 등을 '방안'이라고 합니다. 그래서 '수질 개선 방안', '공유 자전거', '잘못된 마스크 착용은 지양'과 같이 써야 알맞습니다.

4 지금 시대에 맞게 바뀌는 것을 '현대화', 어떤 것이 활발히 잘 이루어질 때 '활성화'를 씁니다. 밑줄 친 부분에 '현대화되어'와 '활성화되어야'를 각각 넣으면 자연스럽습니다.

5 세계 기록 유산으로 등재될 만큼 훌륭한 전통 문화인 '내방 가사'를 이어받아서 계속하겠다고 말한 부분입니다. 이를 통해 '온고지신'의 태도를 느낄 수 있습니다.

6 '열흘 굶어 군자 없다'는 아무리 착한 사람이라도 몹시 궁하게 되면 못하는 짓이 없게 된다는 뜻을 나타내고, '군자도 시속을 따른다'는 어떤 사람이라도 시대적 풍속을 따라야 한다는 뜻을 나타냅니다.

7 '사대주의'는 주체성이 없이 세력이 강한 나라나 사람을 받들어 섬기는 태도를 뜻하므로, 한글을 무시하던 당대의 사람들에게 쓸 수 있습니다.

1 (1) 대륙 (2) 경도 (3) 대양 (4) 위도
2 북반구, 남반구   **3** (1) ㉡, ㉢ (2) ㉠, ㉢, ㉣
4 ⑤   **5** ③   **6** (2) ○

1 (1)은 바다로 둘러싸인 크고 넓은 땅을 가리키므로 '대륙'에 해당됩니다. (2)는 지구 위의 위치를 나타내는 좌표축 중에서 세로로 된 선을 가리키므로 '경도'에 해당됩니다. (3)은 아주 넓고 큰 바다를 가리키므로 '대양'에 해당됩니다. (4)는 지구 위의 위치를 나타내는 좌표축 중에서 가로로 된 선을 가리키므로 '위도'에 해당됩니다.

2 적도를 기준으로 지구를 둘로 나누었을 때, 북쪽 부분을 '북반구'라고 하고, 남쪽 부분을 '남반구'라고 합니다.

3 '날짜 변경선'은 대략 동경 180°로 날짜가 바뀌는 기준이 되는 선입니다. 이 선을 동쪽으로 향해 넘어가면 하루가 늦춰지고 서쪽으로 향해 넘어가면 하루가 앞당겨집니다. '본초 자오선'은 지구의 경도를 결정하는 데 기준이 되는 선으로 경도가 0°이며 영국의 그리니치 천문대를 지나는 선입니다.

4 '세상에 서다'는 세상에 나가 제구실을 톡톡히 해 내거나 상당한 지위에 올라서는 경우를 이르는 말입니다.

5 '세상을 등지다'는 깊은 산속 같은 데에 들어가 사회와 인연을 끊고 살아가는 경우, 즉 세상 사람들과 어울리지 않고 살아가는 경우를 이르는 말입니다. 김병연이 집을 떠나 평생 전국을 떠돌며 살아간 것을 나타내는 말로 어울립니다.

6 '어제 다르고 오늘 다르다'는 어떤 것이 달라져 변화하는 속도가 매우 빠른 것을 나타낼 때 쓰일 수 있습니다.

1 ⑤   **2** 인용   **3** 채
4 (1) ③ (2) ② (3) ⑤ (4) ① (5) ④
5 ④   **6** ①   **7** ㉢, ㉣
8 ①   **9** ③   **10** 날짜 변경선

1 '반어'는 표현의 효과를 높이기 위해서 실제와 반대되는 뜻의 말을 하는 것입니다. 본뜻과 반대로 말하여 표현의 효과를 높이는 방법은 '반어적 표현'이라고 합니다.

2 에디슨이 한 말을 빌려 쓴 것이므로 '인용'의 방법을 사용하였습니다. '인용'은 남의 말이나 글을 자신의 말이나 글 속에 끌어 쓰는 것을 말합니다.

3 집이나 가구, 이불 등을 묶어서 세는 단위는 '채'입니다.

4 바늘을 묶어 세는 단위는 '쌈', 배를 세는 단위는 '척', 천을 세는 단위는 '필'입니다. 곡식의 낱알을 세는 단위는 '톨', 옷을 세는 단위는 '벌'입니다.

5 빛이 나아가다가 어떤 물체에 부딪쳤을 때 방향이 꺾이는 현상은 '굴절'입니다.

6 동생이 숙제를 도와달라고 하지만 누나는 누나 자신의 숙제 때문에 여유가 없는 상황입니다. 내 사정이 급해서 남을 돌볼 여유가 없음을 뜻하는 말로 '내 코가 석 자'가 있습니다.

7 '방안'의 유의어는 '방책'입니다. 가지며 누리는 것은 '향유'입니다.

8 '온고지신'은 옛것을 바탕으로 새로운 것을 알게 되는 것을 뜻하는 사자성어입니다.

9 ㉠은 '대륙'으로 바다로 둘러싸인 크고 넓은 땅입니다. ㉡은 '대양'으로 세계의 바다 가운데에서 아주 넓고 큰 바다입니다.

10 동경 180°의 선을 따라 남극과 북극을 잇는 경계선은 '날짜 변경선'입니다.

3주 특강 사고 쑥쑥

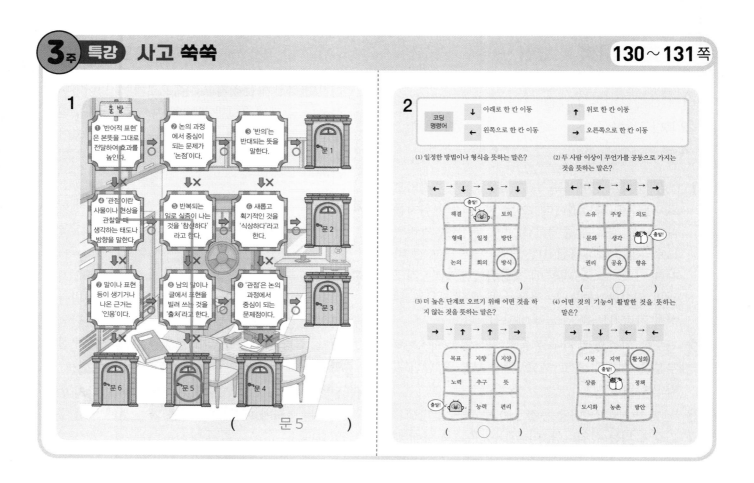

1

출발

❶ '반어적 표현'은 본뜻을 그대로 전달하여 효과를 높인다.

❷ 논의 과정에서 중심이 되는 문제가 '논점'이다.

❸ '반의'는 반대되는 뜻을 말한다.

문 1

❹ '관점'이란 사물이나 현상을 관찰할 때 생각하는 태도나 방향을 말한다.

❺ 반복되는 일로 실증이 나는 것을 '참신하다'라고 한다.

❻ 새롭고 획기적인 것을 '식상하다'라고 한다.

문 2

❼ 말이나 표현 등이 생기거나 나온 근거는 '인용'이다.

❽ 남의 말이나 글에서 표현을 빌려 쓰는 것을 '출처'라고 한다.

❾ '관점'은 논의 과정에서 중심이 되는 문제점이다.

문 3

문 6

문 5

문 4

(문 5)

2

코딩 명령어	↓ 아래로 한 칸 이동	↑ 위로 한 칸 이동
	← 왼쪽으로 한 칸 이동	→ 오른쪽으로 한 칸 이동

(1) 일정한 방법이나 형식을 뜻하는 말은?

← → ↓ → → ↓

해결	출발!	토의
형태	일정	방안
논의	회의	(방식)

( )

(2) 두 사람 이상이 무언가를 공동으로 가지는 것을 뜻하는 말은?

← ← ← ↓ → ↓

소유	주장	의도
문화	생각	출발!
권리	(공유)	향유

(○)

(3) 더 높은 단계로 오르기 위해 어떤 것을 하지 않는 것을 뜻하는 말은?

→ → ↑ → ↑ ↑

목표	지향	(지양)
노력	추구	뜻
출발!	능력	편리

(○)

(4) 어떤 것의 기능이 활발한 것을 뜻하는 말은?

→ → ↓ ← ← ↓

시장	지역	(활성화)
상품	출발!	정책
도시화	농촌	방안

( )

4주에는 무엇을 공부할까?

134~135쪽

1 (1) 문자, 음성 (2) 몸짓, 표정
2 은우

3 ②
4 ③

1일 교과 어휘>국어

140~141쪽

1 비언어적   2 지은
3 (1) 맥락 (2) 경청 (3) 단절   4 ④
5 ⑤   6 (1) ○   7 허심탄회

1 의사소통 과정에서 언어가 아닌 몸짓, 표정 등으로 생각이나 느낌을 나타내는 것을 '비언어적 표현' 이라고 합니다.

2 '화자'는 이야기를 하는 사람으로, 의사소통 과정에서 자신의 생각이나 의견을 전달합니다. '청자' 는 이야기를 듣는 사람으로, 의사소통 과정에서 상대방의 의견을 받아들이는 사람입니다.

3 (1) 맥락: 사건과 물건 등이 서로 관련되어 이어져 있는 관계.

4 ④에 어울리는 낱말은 '면접'으로, 직접 만나서 성품이나 말과 행동을 평가하는 시험을 의미합니다.

5 김 부자가 갓바치의 정중한 말을 듣고 돈을 갚지 않아도 된다고 하였던 것으로 보아, 이와 관련하여 '말 한마디에 천 냥 빚도 갚는다' 라는 속담을 떠올릴 수 있습니다. 말만 잘하면 어려운 일이나 불가능해 보이는 일도 해결할 수 있다는 말입니다.

6 '혀 아래 도끼 들었다' 라는 속담은 말을 잘못하면 나쁜 일이 일어날 수 있으니 말을 조심해야 한다는 뜻입니다.

7 품은 생각을 터놓고 말할 만큼 아무 거리낌이 없고 솔직한 태도를 가리키는 사자성어는 '허심탄회'입니다.

2일 생활 어휘

146~147쪽

1 (1) 훼방 (2) 보수 (3) 훼손   2 ⑤
3 ❶ 재건 ❷ 훼손   4 ③
5 (1) ① (2) ②   6 일촉즉발

1 (1) 훼방: 남의 일을 방해함.
(2) 보수: 낡거나 부서진 것을 고침.
(3) 훼손: 헐거나 깨뜨려 못 쓰게 만듦.

2 '보호'는 '위험한 상황에 놓이지 않도록 잘 보살피고 돌봄'의 뜻을 가진 낱말입니다.

3 '무너진 것을 다시 세움'을 뜻하는 낱말은 '재건' 입니다. '헐거나 깨뜨려 못 쓰게 만듦'을 뜻하는 낱말은 '훼손'입니다.

4 갑작스러운 폭발물 신고로 인한 아슬아슬하고 위험한 상황에 쓸 수 있는 사자성어는 '일촉즉발'입니다.

① 어부지리(漁夫之利): 두 사람이 서로 싸우다 엉뚱한 사람이 이익을 얻게 됨.
② 각골난망(刻骨難忘): 은혜를 입은 고마움이 뼈에 깊이 새겨져 잊히지 않음.
④ 등하불명(燈下不明): 등잔 밑이 어둡다.
⑤ 자수성가(自手成家): 스스로 집안을 일으켜 세움.

6 (1) 공든 탑이 무너지랴: 열심히 한 일은 그 결과가 헛되지 않고 보람이 있다는 뜻.
(2) 하늘이 무너져도 솟아날 구멍이 있다: 아무리 어려운 일에 부딪혀도 해결할 수 있는 희망은 반드시 있다는 뜻.

7 '일촉즉발'은 한 번 건드리기만 해도 곧 폭발할 것 같다는 뜻으로, 몹시 위급한 상태를 뜻하는 말입니다.

3일 교과 어휘 > 과학

> 1 ❶ 전압 ❷ 전류
> 2 (1) ㄴ, ㄷ, ㅁ (2) ㄱ, ㄹ ㅂ
> 3 ③　　　　　　　4 (1) 직렬 (2) 병렬
> 5 ④　　　　　　　6 ⑤
> 7 토끼

1 '전압'은 댐이 가지고 있는 물의 압력이나 힘에 비유할 수 있고, 댐에서 흘러나오는 물은 '전류'에 비유할 수 있습니다.

2 도체는 전류가 잘 흐르는 물질로 철, 구리, 알루미늄 등이 있습니다. 부도체는 전류가 잘 흐르지 않는 물질로 나무, 유리, 고무 등이 있습니다.

3 번개는 전기적 현상에 의해 번쩍이는 불꽃을 뜻하고 천둥은 번개와 함께 큰 소리가 나는 현상을 뜻합니다. 그래서 '번개가 번쩍이다'는 자연스럽지만 '천둥이 번쩍이다'는 어색한 표현이 됩니다.

4 전지가 일렬로 이어서 연결된 것은 직렬연결이고, 전지가 양 방향으로 나뉘어 연결된 것은 병렬연결입니다.

5 촌장 할아버지가 전한 소식에 '나'는 머릿속이 까마득해졌습니다. 예상치 못한 충격적인 소식이므로 '청천벽력' 같은 소식이 어울립니다.

6 '번개가 잦으면 천둥을 한다'는 어떤 일의 징조(번개)가 잦으면 그 결과(천둥)가 일어나기 마련이라는 뜻입니다.

7 줏대 없이 남의 의견에 따라 움직이는 것을 '부화뇌동'이라고 합니다. 제시된 인물 중 다른 이의 의견에 따라 움직이는 인물은 토끼입니다.

4일 생활 어휘

> 1 (1) 소질 (2) 공적 (3) 조예　　2 ④
> 3 두각　　　4 과실　　　5 ⑤
> 6 (2) ○　　　7 굼벵이

1 (2) '힘을 들이고 애를 써서 이루어 낸 일의 결과'를 '공적'이라고 합니다.

2 ④ 어머니께서는 문학에 대한 조예가 깊다.

3 '두각'은 짐승의 머리에 있는 뿔 또는 뛰어난 학식이나 재능을 비유적으로 이르는 말입니다.

4 '과잉'은 '예정하거나 필요한 수량보다 많아 남음.'이라는 뜻입니다.

5 〈사자성어의 뜻〉
　① 주경야독(晝耕夜讀): 낮에는 농사짓고 밤에는 글을 읽는다는 뜻으로, 어려운 여건 속에서도 꿋꿋이 공부함을 이르는 말.

② 청천벽력(靑天霹靂): 맑게 갠 하늘에서 치는 날벼락이라는 뜻으로, 뜻밖에 일어난 큰 사고나 사건을 비유적으로 이르는 말.

③ 일촉즉발(一觸卽發): 한 번 건드리기만 해도 폭발할 것같이 몹시 위급한 상태.

④ 임기응변(臨機應變): 그때그때 처한 사태에 맞추어 즉각 그 자리에서 결정하거나 처리함.

6 〈속담의 뜻〉
　(1) 혀 아래 도끼 들었다: 말을 잘못하면 불행한 일을 당하게 되니 말조심을 하라는 말.
　(3) 하늘이 무너져도 솟아날 구멍이 있다: 아무리 어려운 경우에 처하더라도 살아 나갈 방법이 생긴다는 말.

7 '굼벵이도 구르는 재주가 있다'와 뜻이 비슷한 속담으로는 '우렁이도 두렁 넘을 꾀가 있다'가 있습니다.

5일 교과 어휘 > 사회

| 1 ① | 2 기 온 / 상 | 3 (1) ① (2) ② |
| 4 건기 | 5 ④ | 6 (2) ○ |

1 '날씨'는 한 지역에서 그날그날의 비, 구름, 바람, 기온 따위가 나타나는 대기 상태이고 '기후'는 일정한 지역에서 여러 해에 걸쳐 나타나는 평균적인 날씨입니다.

2 공기의 온도는 '기온'입니다. 바람, 비, 구름, 눈 등과 같은 대기 현상을 통틀어 일컫는 말은 '기상'입니다.

3 열대 기후보다 기온이 낮고 사계절이 뚜렷한 기후는 '온대 기후'입니다. '한대 기후'는 일 년 내내 평균 기온이 매우 낮습니다.

4 '건기'는 일 년 중 오랫동안 비가 내리지 않아 기후가 건조한 시기이고, '우기'는 일 년 중 비가 많이 오는 시기입니다.

5 '귤화위지'의 유래가 나타나 있는 글입니다. '귤화위지'는 강남의 귤을 강북에 옮겨 심으면 탱자가 된다는 뜻으로, 환경에 따라 사람이나 사물의 성질이 변한다는 뜻의 사자성어입니다.

6 과자를 더 많이 먹은 은지가 더 적게 먹은 은서에게 그만 먹으라고 말하는 상황이므로 자기의 허물은 생각하지 않고 남의 허물만 나무라는 경우를 비유적으로 이르는 속담인 '겨울바람이 봄바람보고 춥다 한다'가 어울립니다. '오뉴월 장마에 토담 무너지듯'은 빗물을 많이 흡수한 흙담이 맥없이 무너지는 것처럼 힘없이 내려앉음을 비유적으로 이르는 말입니다.

4주 누구나 100점 TEST

1 전압	2 ⑤	3 (1) 기온 (2) 기상
4 ④	5 (1) 경청 (2) 청자	6 ⑤
7 (1) 처하다 (2) 직렬	8 ⑤	9 ③
10 (1) ㉡ (2) ㉢ (3) ㉠		

1 '전압'은 '전기의 흐름에 가해지는 압력의 정도'를 뜻합니다. 전압의 단위는 볼트(V)입니다.

2 철, 구리, 흑연 등은 전기가 잘 흐르는 '도체'입니다. '부도체'는 종이, 비닐, 유리와 같이 전기가 잘 흐르지 않는 물질을 말합니다.

3 (1) 기온: 공기의 온도.
(2) 기상: 바람, 비, 구름, 눈, 무지개와 같은 대기 현상을 통틀어 일컫는 말.

4 '부화뇌동'이라는 사자성어는 줏대 없이 그저 남의 의견대로 따라가는 것을 이르는 말입니다.

5 (1) '귀를 기울여 들음'의 뜻을 가진 '경청'이 들어가야 합니다.

(2) '이야기를 듣는 사람. 상대방의 의견을 받아들이는 사람'의 뜻을 가진 '청자'가 알맞습니다.

6 '말 한마디에 천 냥 빚도 갚는다'는 말만 잘하면 어려운 일이나 불가능해 보이는 일도 해결할 수 있다는 뜻의 속담입니다.

7 (1) 처하다: 어떠한 상황에 놓이다.
(2) 직렬: 전기 회로에서 두 개 이상의 전지나 전구를 한 줄로 연결하는 방법.

8 '비언어적 표현'은 의사소통 과정에서 언어가 아닌 몸짓, 표정 등으로 생각이나 느낌을 나타내는 것을 말합니다.

9 일기 예보란 앞으로의 날씨를 예상하여 미리 알려주는 것을 말합니다. 관측기구를 통해 기온, 기압, 습도 등의 기상 요소를 관측할 수 있습니다.

10 (1) 보수: 낡거나 부서진 것을 고침.
(2) 여건: 처한 상황이나 주어진 조건.
(3) 소질: 본디부터 가지고 있는 타고난 재능.

4주 특강 사고 쑥쑥 170~171쪽

1

건	회	(우)	(기)	구	절
교	(보)	🐻	지	청	법
(사)	조	(수)	근	(병)	🐱
(면)	경	처	전	(렬)	국
(초)	🐰	평	재	방	보
(가)	인	(번)	(개)	이	거

2

환경에 따라 사람이나 사물의 성질이 변함을 이르는 사자성어는 무엇일까요?
① 아전인수 / 귤화위지

뜻밖에 일어난 불운이나 큰 사고를 이르는 사자성어는 무엇일까요?
② 청천벽력 / 전광석화

당장이라도 큰일이 벌어질 것 같은 아슬아슬하고 위험한 상황을 이르는 사자성어는 무엇일까요?
③ 일촉즉발 / 지지부진

자, 마지막 문제입니다. 많은 사람 가운데서 뛰어난 인물을 이르는 말은 무엇일까요?
④ 자수성가 / 군계일학

네, 사자성어에 대한 문제를 모두 알아맞혀 주셨습니다. 당신을 사자성어 달인으로 인정합니다!

매일 조금씩 **공부력** UP!

똑똑한 하루
시리즈

쉽다!

하루 10분, 주 5일 완성의
커리큘럼으로 쉽고 재미있게
초등 기초 학습능력 향상!

재미있다!

교과서는 물론, 생활 속에서 쉽게
접할 수 있는 다양한 소재를 활용해
아이 스스로도 재미있는 학습!

똑똑하다!

초등학생에게 꼭 필요한 상식과 함께
학습 만화, 게임, 퍼즐 등을 통한
'비주얼 학습'으로 스마트한 공부 시작!

더 새롭게! 더 다양하게! 전과목 시리즈로 돌아온 '똑똑한 하루'

*순차 출시 예정

국어 (예비초 ~ 초6)

예비초~초6 각 A·B
교재별 14권

예비초: 예비초 A·B
초1~초6: 1A~4C
14권

영어 (예비초 ~ 초6)

초3~초6 Level 1A~4B
8권

Starter A·B
1A~3B
8권

수학 (예비초 ~ 초6)

초1~초6 1·2학기
12권

예비초~초6 각 A·B
14권

초1~초6 각 A·B
12권

봄·여름
가을·겨울 (초1~초2)

봄·여름·가을·겨울
2권 / 8권

안전 (초1~초2)

초1~초2
2권

사회·과학 (초3~ 초6)

학기별 구성
사회·과학 각 8권

정답은
이안에
있어 !

배움으로 행복한 내일을 꿈꾸는
천재교육 커뮤니티 안내

. . .

교재 안내부터 구매까지 한 번에!
천재교육 홈페이지

천재교육 홈페이지에서는 자사가 발행하는 참고서,
교과서에 대한 소개는 물론 도서 구매도 할 수 있습니다.
회원에게 지급되는 별을 모아 다양한 상품 응모에도
도전해 보세요.

구독, 좋아요는 필수! 핵유용 정보 가득한
천재교육 유튜브 <천재TV>

신간에 대한 자세한 정보가 궁금하세요?
참고서를 어떻게 활용해야 할지 고민인가요?
공부 외 다양한 고민을 해결해 줄 채널이 필요한가요?
학생들에게 꼭 필요한 콘텐츠로 가득한 천재TV로 놀러 오세요!

다양한 교육 꿀팁에 깜짝 이벤트는 덤!
천재교육 인스타그램

천재교육의 새롭고 중요한 소식을 가장 먼저 접하고 싶다면?
천재교육 인스타그램 팔로우가 필수!
누구보다 빠르고 재미있게 천재교육의 소식을 전달합니다.
깜짝 이벤트도 수시로 진행되니 놓치지 마세요!